山本康正

情報の選球眼

真実の収集・分析・発信

GS
幻冬舎新書
639

まえがき

ネットメディアの台頭やスマホ中毒とも言える携帯機器への依存によって、以前にも増して、情報が氾濫しています。特に、今回の新型コロナウイルス感染症に関する不正確な情報が多いことは読者の方たちも感じているのではないでしょうか。中でも私が危惧しているのは、いわゆるフェイクニュースやデマが少なくなく、そのような情報を得てしまったために、ビジネスで間違った判断をしてしまう可能性があることです。これは今回だけでなく、将来も同じような有事の際には情報の取得と、見極めが大きな違いを生みます。

さらに怖いのは、間違った情報は正しい情報よりも拡散するスピードが速い傾向にあること。その結果、経済学でいうレモン市場のような現象が情報でも起こります。レモンは皮が厚いことから、傷んでいるかどうかがわかりにくく、売る側と買う側の間で情報格差が発生します。売る側は粗悪品でも隠して安く売ろうとしますし、消費者は安く手軽に手に入る方を買おうとするため粗悪品が出回りやすくなるのです。情報でも間違った内容が溢れて、正しい情報が受け取れなくなる可能性があります。そうなれば、正しい情報を発信する人や得たい人は、メディアから距離を置いてしまうこともあるでしょう。

本書は、このような情報過多の時代において、私たちはどのように価値ある情報を得ればよいのか、明確な目的意識を持つ人に対して、気づきやヒントを与える内容となっています。特に、１９８０年より前に生まれた人は、学校教育において、十分にニュースなどの情報に、データサイエンスの知見からどのように接すればよいのかというトレーニングを受けていません。ネットニュース自体に成人以降に触れているため、教育を受ける機会もなかったのです。

本文でも触れていますが、本書のような書籍も含め、情報を得る際は仮説や目的を立てることが大切です。本書でいえば、読んだことで価値ある情報をフェイクニュースに騙されることなくスピーディーに取得できるようになり、結果、ビジネスでより妥当な判断をできるといった目的です。

ですので、何となくこの本を手に取った方や、本を読んだら情報収集のノウハウが簡単に得られるのではないかという考えの方には、あまりおすすめしません。いままさに量ではなく、価値ある情報を得たいとの明確な目的意識がある方にこそ、響く内容だからです。

作者不詳・インターネットより転載

真実は情報の現場、源泉に行かなければなかなか分からない

これが、最も伝えたいことです。

たとえれば情報の選球眼とも言えます。

上の図はメディアの構図です。あるメディアが意図的にストーリーを作って、それに都合の悪いものは掲載せず、都合の良いものだけを使えば、パズルのピースを選ぶように作れてしまうのです。

また、アマゾンのレビューも最近、やらせの業者が多発していることで報道もされています。２０２１年９月にはこうした不正レビューを理由に、中国業者の大規模な締め出しが行われました。飲食店の評価などもそうですが、意図的な情報発信は、受け手にとって役立つことは少ないのです。

私は幼いころからいまも、途上国支援や国際環境協力といった分野に興味があります。大きなくくりでは、社会貢献といえるでしょうか。

そのため高校生ぐらいになると、同分野で働くためにはどうしたらいいのか、どのような組織で経験を積み、キャリアを築いていけばよいのか、当時はインターネットなどまだ発達していませんでしたから、書店に足を運び、関連する雑誌や専門誌、書籍などを読み、情報を収集していました。

するとどうやら国連（国際連合）の機関で働くことがよさそうだ、と思うようになります。特に印象深かったのは、実際に国連で働く人たちへのインタビュー記事でした。記事を読むと、国連の掲げるミッションや活動がいかに素晴らしいかが感じ取れます。高校生の私には、とても輝いて見えました。

そこで大学院に通っているときに、国際機関で将来働くことを想定し、外務省にインターンシップし、発展途上国への資金援助のスキームを学んだりしました。

大学院の調査の一環で東ティモールを訪れ、現地でプロジェクトの様子を実際に見て学ぶなどの経験です。

ところが、その後仕事でニューヨークに行き、実際に国連で働く人などと一緒に、活動していたときのことでした。国連などいわゆる公的機関が掲げるミッションは確かに素晴らしいものでしたけれども、事業を進めるスピード感が民間企業と比べるとあまりにも遅く感じたのです。

それだけではありません。国連の存在が世界の秩序を保ったり、環境維持などで貢献していることは事実ですが、内実としては、アメリカや中国といった大国が、国連よりも大きな力を持っていることも知るようになります。

そしてこれが一番驚いたことですが、世界をより良くしたいとの志を、すべてのメンバーが持ち続けられているわけではないと感じられたのです。語弊を恐れずに書けば、大きな組織にいれば安泰だろうとの安直な考えを持っているような層。さらには、国連という看板を利己的に使っている属性の人たちが、一部いることが分かりました。

私がそれまでに得ていた国連に関する情報は、間違いとまでは言いませんが、真実ではなく、偏った情報だったのです。もちろん、国際機関への就職をすすめる媒体であれば、それは当然のことです。その裏を取る必要は読者にあります。けれども当時の私は真の情報、価値ある情報がどこにあるのかを明確には理解していませんでしたから、気づけなかった。ただ与えられた情報を鵜呑みにしていただけだったからです。

その後結局、民間での金融の経験は今後どこでも必要と判断し、銀行に入社して、金融業界でのキャリアを経由する選択をします。さらには銀行で経験を積んでいくうちに、世の中を動かす力を持つのはテクノロジーだと思い至り、グーグルへとキャリアをピボット（転換）しました。

結果として国連などの国際機関ではインターンシップで働き、いまのままでは十分に自分の適性を発揮することができないと判断しましたが、当時考えていた人生設計が大きな失敗だったとは思っていません。しかし、高校生のときにバランスの良い意見を聞いておいた方がより早く判断できたでしょう。

情報にバイアスがかかっている実体験は他にもあります。米国の大学です。おそらく多くの日本人が、米国の大学を日本の大学の延長線上にあると捉え、日本の難関校に合格しなければ、海外の大学になど合格するはずがない。そう、思われているのではないでしょうか。

答えはＮＯです。日本の大学入試のように、筆記試験での結果が大部分を占めるわけではないからです。評価軸が違う、とも言えるでしょう。たとえばハーバード大学が求めているのは、どのような志望動機を持っていてどのような課題意識でこれまでの人生を過ごしてきたのか、その上で、なぜハーバード大学に入学したいと考えているのか、というのが納得できる内容かどうかだからです。

ですから極端な例を挙げれば、筆記試験が満点でも受からないケースもあります。逆も然り。実際、私の友人の中には米国トップランクの大学院を10校ほど受け、9校は不合格になったけれどハーバード大学には合格した者もいます。

さらに、これも多くの日本人が知らないことですが、ハーバード大学は多様性を非常に重視しています。そのため、彼らとしても現在の在学生が少人数である日本人はぜひとも学生として迎え入れたい。一方で、先述のような誤解があるために、そもそも日本人の受験者数が少ない傾向にあります。

実際に入学すると分かりますが、学生はアメリカ人だけというわけではありません。アジアでは中国人、韓国人の学生も大勢いますし、もちろん他のエリア、ヨーロッパなどからの学生も多く集まっています。

志望動機では、自分のやりたいことだけではなく、社会問題の解決にも通じる強い想いを持ち、実際に行動を伴っている人が合格しやすい傾向にあるとされています。

実際に入学してみると、それまで得ていた情報よりも量はもちろん、質も高い情報を多く得ることができました。そしてその情報の源は、教壇に立つ各分野の専門家の先生であることが大半でした。

本書では、第1章で価値ある情報の〝場所〟を紹介しています。第2章では、情報の〝見極め方〟、第3章では各メディアで私が実践している情報の〝取得方法〟を細かく記載しました。そして最終章では価値ある情報を得た先で、情報をどのように〝活用〟するのかを紹介しています。ビジネスから投資、キャリアアップなど、シーンの違いに分けてまとめました。

ぜひとも本書を読み進めていただき、氾濫する情報の中から、真実ならびに各人に価値ある情報を獲得するノウハウを身につけてもらいたいのです。そして得た情報をビジネスやキャリアで活かすことで人生を豊かにしてほしい。特に、海外と日本との情報ギャップは未だに大きいため、その縮小の一助に、本書が寄与できれば幸いです。

情報の選球眼／目次

図版・DTP　美創

第1章 情報の価値は「どこ」にあるのか

情報の価値は源泉にある

最初に答えを言いますと、タイトルのとおり情報の価値はその情報が生まれた源泉にあります。

情報の流れは、私たちの身のまわりの自然界、川や海の流れと似ています。海には、さまざまな川から集まってきた水や雨水、その他の物質が混じり合っています。けれども、おおもとは川の源流です。

情報の流れも同じです。情報の価値が一番高いのは発信者自身が現場で見聞きした一次情報です。この一次情報はどこにあるのか。広大な情報が溢れている海ではなく、川の源流と同じく、源泉です。加工されていない生の情報やその情報の発信者になります。鮮度が最高の状態にあるのが一次情報だと言えます。続いて、第三者を介して知った情報や一次情報をもとに加工したのが二次情報、さらに加工すると三次情報となっていくのです。

マスメディアが発信するニュースの中にだけ価値ある情報がある、と考えている人がいますが、そんなことはありません。そもそも一般の人がメディアなどから知り得る情報は、世界で起こっている全体に対して10%にも満たないからです。

価値ある情報の90%は、受動的な姿勢では知り得ない。そう考えた方がいいでしょう。特に、専門家などはその分野では有名ですが、分野がニッチであったり、一般的なメディアが信頼できないとの理由から、メディアに出ることを毛嫌いしている人も多いからです。そしてこのような人が、実は世の中に大勢います。

見方を変えると、テレビなどのメディアに登場する有名・著名人だからといって、発している情報が正しく、価値があるとは言えません。マスメディアで流れている情報は、大海原と同じく下流の情報であり、どのような人に、どのような内容を話してもらうかを決めているのは、プロデューサーや記者、編集者です。ストーリーが固まっていることが多く、それが正しいかというとそうでもありません。広告などの収益を最適化して反響が大きくなるよう、ときにセンセーショナルな加工に走ってしまいます。

私たちに伝わる情報は加工されている

一般的に目に触れやすい情報は加工されていると知ること。価値ある一次情報を得るためには海を眺めているのではなく、情報の上流に遡り源泉の一次情報を得ること。どうしたら鮮度の高い、源泉の情報を得ることができるか。そのことに注力する必要があります。たとえば、ある大学発ベンチャーが投資に値する企業か判断するために、最新情報を知りたいとします。そうするとメディアで紹介されている記事からの情報はベンチャーを応援する特集で取り扱っていたりするため、都合の悪い情報は出しにくくなります。時価総額のランキングなどはその典型でしょう。直接、そのベンチャーもしくは情報を発信した創業者や技術者に会うことが、何よりの判断材料になります。

交通事故での報道を考えてみると一次情報の大切さに気づくはずです。テレビや新聞などを見ていると多く流れてくる情報のひとつだと思いますが、私たちがこれらのメディアから得ている情報は、あくまで記者や編集部が書いた加工した記事であり、二次情報といえます。

一方、事故現場で実際に事故を起こしたドライバー、あるいは、現場に居合わせて事故を目撃した人の情報が、一次情報になります。つまり、事故の情報に関して言えば、一次情報、価値ある情報は事故の当事者しか知り得ないことが多いのです。

さらに言えば、当事者や目撃者の主観が入っていますから、そもそも人に聞いた時点で、事故の場合は正確な源泉の情報と定義するのは難しいでしょう。ドライブレコーダーやその他最近の車には多くのセンシングデバイスが装着されていますから、それらのデバイスから得たデータこそ、事故の検証をする際には価値ある情報になります。

情報がさらに拡散していけば、二次情報だけでなく、三次情報、四次情報と広がっていき、当然、情報の鮮度も信頼度も比例して下がっていきます。自動車事故の例であれば、極端ですが、実際には右折していた車が、左折していたと報道される。このような真逆の情報が流れていくことさえあるからです。

そしてそのような情報を伝えている、記者やコメンテーター、あるいはブロガーなどが介在していることを、情報を得る際には、しっかりと頭に入れておくべきです。それが間違っていても、大々的には謝罪などもしないでしょう。特に閲覧数が増えれば広告などの収入が増えるという構造の媒体にとっては、間違っていても読まれればそれで目的は達成したことになります。

新型コロナウイルスに関するさまざまな情報も、情報が源泉から川、海へと流れていく構図そのものです。２０２０年の4月に最初の緊急事態宣言が発せられた際、政府が正式に公示する前に、巷ではすでに「緊急事態宣言が出る」との情報が飛び交っていました。

読者の中にも、知人からＬＩＮＥ（ライン）などでニュースよりも早く、情報を得た人がいることでしょう。しかし、そのような知人から得た情報は、多くの人を介在して回ってきて、二次、三次ではすまない、もっと下流の情報です。実際の宣言と日付が違うなど、内容は信頼に値しませんでした。

そしてここでも先ほど触れたように、なぜ、その情報が自分のところに回ってきたのか、誰が伝えたのかを考えることが重要です。緊急事態宣言であれば、多くは2つの理由がありました。

ひとつは、知人などにいち早く知らせたいとの善意によるもの。もうひとつが問題ですが、自分はまだ世に出ていない情報を知っていると、自慢したい属性の人たちによるものです。実際に緊急事態宣言の発出、検討に直接携わっていない関係者が、噂の段階で発出されると周囲に喧伝するような事態が起きています。

このように情報には流れや鮮度があります。誰かが意図的もしくは意識せずとも介在することで、誤った情報が流れていくリスクがあることを知っておくことがまず重要です。

真実と嘘は伝わり方に違いがある

「真実は伝わりにくい」。情報を伝えたり得たりする場合には、このことを大前提として念頭に置く必要があります。その上で、源泉の情報を取りに行く。真実を知ること、得ることは難しい、だからこそ知る価値がある、とも言えます。

私の母校でもあるハーバード大学のモットーを紹介します。「VERITAS」。言葉の意味はラテン語で「真実」。学生に対して、常に真実を追求しなさいとのメッセージです。

真実にたどりつきにくい理由は、情報が下流に流れていくことで、多くの人が介在し、伝えやすいように詳細を省いたり、思い込みで伝えてしまったりすることが起こるからです。

よくあるのがシステム開発の現場です。ある企業が、なんらかのシステムを構築したいと考え、外部のSIer（システムインテグレーター）に依頼したとします。

窓口は、SIerの営業担当者でした。営業担当者はどのような仕様にしたいのか、盛り込みたい要求などを聞き、エンジニアに伝え、具体的な要件定義や設計がスタートします。

ところが、出来上がったシステムを見ると、顧客が満足するものではない。きちんとしたSIerであれば、設計段階でクライアントに確認するなどのアクションを取りますが、中にはこのように、出来上がったものが違ってしまったケースも未だにあるのが現状です。

そして、この手の情報伝達のミスは、あらゆるドメインで頻繁に起きています。

システム開発の事例では、いくつかの問題が含まれています。そもそも担当営業が、クライアントの要求を正しくヒアリングできるスキルを持っていなかったというケースがひとつ目。コミュニケーション、技術的なレベルのどちらにもおいても、不十分な点があった場合です。

２つ目のケースでは、より良い仕様や機能を付帯すると営業側が約束して期待値を上げてしまい過ぎるケースです。これは善意もしくは営業成績を上げたいという欲など、いくつかの理由が考えられますが、結果的にクライアントが期待していたものにはならないという失敗です。

そして３つ目のケースは、特に大規模システムの場合に頻発する問題です。多くのエンジニアが、内部だけでなく外部の協力会社も含めてプロジェクトを展開したところ、意思疎通がうまくできないまま開発を進めてしまったという状況です。

これらの問題がひとつに限らず重なり合った結果、個別の機能に最適化したシステムになりつつも、全体としてまとまりのないシステムとなってしまうのです。このような事象は、私たちの身の回りのあらゆるところにあります。

そもそも真実とは複雑であることが多いのです。たとえばＡＩ（人工知能）で考えると、ディープラーニングの発達で人間よりも高い精度で情報処理が可能になり、一部の仕事を任せることができるようになるという流れがあります。この情報を正しく伝えようとするには、ディープラーニングの仕組みについて解説することが必要ですし、どんな作業に限定されるかについても説明しなければなりません。それよりは「ＡＩは人間の仕事を奪う」という言い方の方が、簡単かつインパクトもあるので伝わりやすくなるというのがお分かりいただけるはずです。

幼いころ、学校のレクリエーションで行った伝言ゲームやジェスチャーゲームを思い出してみてください。伝える人が増えれば増えるほど、伝える内容の量が多ければ多いほど、情報が真実から離れていくのは明白です。メディアが発している情報でも、まったく同じことが言えます。

もうひとつ問題なのは、いわゆるデマです。こちらは意図的に誤りに誘導するという点で悪質です。噂のような情報は、真実が伝わるのと比べ8倍以上の速度で拡散すると言われています。今回の新型コロナウイルスに関するさまざまなデマ、噂の広がりは、まさにいい例です。

感染症の専門家などから直接得る言葉ではなく、どこの誰が発言したのか、エビデンスも備わっていないような、嘘としか思えない情報も多くあります。たとえば「新型コロナウイルスにかかると突然倒れて死亡します」といった断定的な情報は、真実でなくても拡散しやすい。まだ未知の事柄が多いころには拡散された情報でした。このことを、念頭に置いておくべきです。

価値ある情報は〝内側（現場）〟にある

情報の価値について、改めて解説します。一番の基本となるのは、得た情報がなんらかの「判断材料」になる、ということです。

たとえば、右に進もうか左に進もうか、ある交差点で迷ったときに、スマートフォンのマップ機能を使えば、どちらに進むのが正しいかを判断できます。この際は、スマートフォンの地図情報が、価値ある情報となります。車で移動しているのであれば、渋滞情報も知ることができると、判断の精度はさらに高まります。

株の売買などが典型的な例です。投資しようかどうか検討中の企業に、他の投資家が気づいてなさそうなポジティブな動きがあるかどうか。情報により、投資の判断ができます。判断材料は企業だけに限りません。業界全体での動きはどうなのか。ライバル企業の動き、国内だけでなくグローバルレベルに見たときに企業の持つ力の水準は、どうなのか。情報を多く知れば知るほど、判断の精度は高まります。

そしてここからが重要ですが、本当に価値のある判断に役立つ判断材料となり得る情報は、メディアなどで紹介されている多くの人が知っている情報だけではない、ということです。たとえば、転職を考えているビジネスパーソンがいたとします。いま所属している業界が大手とはいえ、この先縮小することが分かってきたので、右肩上がりの企業への転職を考えていました。

就職サービスなどからさまざまな情報を得ていましたが、どうにも決めきれずにいました。そんなとき、ゲーム好きの友人が、没頭しているゲームがあることを知ります。そしてそのゲームを開発している企業は、まだそれほど大きくないベンチャーでした。

友人いわく「間違いなく超人気ゲームになるし、いま開発中の新作も評判がいい」。その友人はゲーム歴20年以上のいわゆるマニアです。友人の言葉を信じ、まずは自分でプレイしてみたところ確かにこれは画期的な内容で大手が作るゲームより面白い。あまりメディアには取り上げられていませんが、将来性を見込んで従業員が数十名規模のゲームベンチャーに就職することを検討します。面接を受けた上で職場の見学をさせてもらうと、社内も活気に溢れていて、自分とも相性がよさそうで成長性が望めそうだと判断できました。

その後は友人の指摘どおり、会社は大きく成長。現在では上場も果たし、ビジネスパーソンは初期にリスクを取って入社したこともあり、早期に幹部に昇進し、株式による報酬も獲得できます。これはあくまでも例ですが、このようなニッチだけれど、多くの人が気づいていない情報こそ、価値があるのです。

いま目の前にある情報は外の情報なのか、それとも内の情報なのかを意識すると、分かりやすいと思います。いわゆるマスメディアなどで扱う情報が外、先のビジネスパーソンが得た情報が内の情報です。

内の情報を得たことで、ビジネスを大きく伸ばしているケースも少なくありません。たとえば、いまでは世界最大規模のゲームプラットホームとして認知されているGREE（グリー）。もともとは創業者が個人的な趣味で始めたSNSが人気を得て成長しました。しかしあるとき、現在のメイン事業であるゲームに、ピボットしています。

グリーに新たに入社したCFOの活躍もあり、KDDIは他社に先駆け事業転換の動きを知り、いち早く出資することできた、という事例です。

インターネットやeコマースも同様です。出始めのころは、なんだか怪しい。掲示板など、よく分からない。本当に一般人が使っていいのか。この先、浸透するのか。多くの人が懐疑的な目で見ていたことでしょう。

一方で、「インターネットはこれからの世界を制す」と考えてまさに内にいた人たちは違いました。実際に使っていた人たちは将来性を感じ、いまでは大企業として知られるＩＴベンチャーを創業した人も大勢います。同じく、出資に走った方も少なくなかった。

いまであれば、ブロックチェーン、量子コンピュータなどが、まさに該当するトレンドと言えます。５Ｇや量子コンピュータはメディアでも多く取り上げられていますが、実際にどうなのか。今後、インターネットのように社会を変革するのか。価値ある情報を知っているのは、現場の最前線で働いている研究者の可能性が高いのです。

私がビットコイン、ブロックチェーン技術を知ったのも、エンジニア界隈からの情報でした。当時のレートは４万円ほど。扱うメディアはほとんどありませんでしたが、友人の熱狂度合いから今後トレンドとなるテクノロジーだと注目していました。実際、現在では多くの仮想通貨が生まれ、関連テクノロジーやサービスも開発されつつあります。ビットコインのレートにおいては、一時期は７００万円以上にまで上昇。投機的な観点からも大きく注目されています。

成功確率は〝1割〟で十分

経営の判断材料として情報を活用しているのは、どこの企業、経営者もされていることだと思います。ただ想定どおりにいく確率をあまりにも高く設定しているのでは、と感じています。特に大企業においてその傾向は顕著です。

情報を得たから絶対に、つまりゼロイチ理論で成功するかどうか、というように考えることはナンセンスだと言えるでしょう。具体的には半分半分の確率で起こることが、51%の成功確率になるぐらいでも良いのです。試行回数は十分に大きくなければ、その確率の差が結果に反映されることが少ないことには注意が必要です。

事象にもよりますが、一般的な経営判断であれば5割以上の確率で成功する可能性があれば、アクションを起こし続ければ良い成果になります。

私のような投資スタイルで投資リターンが１００倍あるものを狙うのであれば確率はさらに低くてもいい。具体的には1割で十分だと考えていますし、上場株の投資とは違って実際の私の投資スタイルがまさにそうです。1割の成功確率があるベンチャー10社に投資して、9社が潰れてもそのうち1社が１００倍に成長すればよい、という考えです。

一方で、多くの大企業は新規事業でさえも成功確率を8割程度に設定している場合が多いように思えます。実際には5割、投資案件の場合、まったく畑の違う事業分野において大きなリターンが見込まれるならば1割でいいのです。野球で言うと、3割でもすごい打率なのですが、そのなかで8割を狙うこと自体に無理があるのです。そうすると石橋を叩き過ぎてアクションが遅くなりますし、1割でアクションを起こして試行回数を増やしているライバルに、先を越されてしまいます。

ベンチャーを見ていると分かりやすいですが、ベンチャーはビジネスが軌道に乗り、成長するのはまさに1割程度。起業時のミッションでは「世界を変える」「ユニコーン企業になる」と多くのベンチャーが大志を掲げていたり、すごいベンチャーとしてメディアで特集を組まれたりすることがありますが、自分でちゃんと5年後の様子を追っていくと、実際にユニコーンにたどりついているベンチャーはごくわずかで、ほとんどは実現できていない。これが、過酷な現実です。

大企業と私のようなベンチャー投資家では立場が違うことは理解していますが、野球でもバッターは3割を超えたら一流選手と呼ばれています。少しでも成功確率があると感じたら、また判断材料となり得る情報がまだ世に出ていない内の情報であったら、ぜひ、アクションを起こすべきです。

情報は自ら見つけに行く

源泉にある内なる情報、マスメディアはもちろん、世の中の多くの人に知られていない価値ある情報を得るには、どうすればよいのか。待ちではなく、自ら積極的に動いて取りに行かなければなりません。

川と海の話を思い出すと、理解しやすいでしょう。いわゆるマスメディアなど、巷で流れている価値が乏しいと思える情報の多くは、海に流れてきた段階のものがほとんどだからです。つまり、待ちの状態、受動的に得た情報と言えます。

スマートニュースやYahoo!ニュースに代表されるような、ニュースポータルサイト。これらのまとめ記事的なプラットホームはいい例です。一見すると、読者は自分から意図的にポータルサイトを開き、ニュースなどを読み、情報を得ているように思えます。

しかし実際は異なっています。まずはレコメンデーション機能です。多くのメディアでは読者が好む情報をデータとして蓄積し、AIが解析しています。その上で、利用者にとって興味のありそうな情報を人の手や自動化を通じて提供しているのです。

新型コロナウイルスに関する情報であれば「ワクチンは害だ」といった真実ではない情報ばかりにアクセスしている読者には、関連する、ワクチンの危険性についてのニュースが次々とレコメンデーションされていくことでしょう。すると読者は次第に、ワクチンは害だと思うようになっていく。本人に気づく余地はありません。

レコメンデーションだけではありません。メディアが意図的に、多くの人に届けたい情報をトップページに持ってきたり、注目記事としてDMするということもあります。言葉を選ばすに書けば、読者というよりはメディア側の都合にあわせて操作することも可能なのです。広告などは、まさにその代表例ですし、一見すると記事に見えるけれど、見えにくいほど小さな表示をつけていて、内実は特定企業やサービスの宣伝をしているブランディング記事だったというのも操作された情報と言えるでしょう。

もうひとつ付け加えるとすれば、至極当然のことでもありますが、自社メディアや運営企業に対して批判的な情報は、基本、排除される傾向にあります。

そしてこれはネットメディアだけではありません。リアルな書店でも同じことが言えます。たとえば、新刊・注目の書籍コーナー。いまであれば新型コロナウイルス関連の書籍が大量に平積みされているところもあります。それも書店に入って、目に飛び込んでくる一等席に置かれているのです。

多くの客は平積みされた本を手に取るでしょう。ただ、その本を平積みしたのは、書店の店員もしくは出版社の営業といった方たちです。しかも、著名な人の推薦文などもあれば、つい購入してしまう方も多くいらっしゃるでしょう。書店に行った理由は、奥の本棚にある、別の書籍を確認したかったから、という場合でも、このような行動を起こしてしまいがちです。

本来の目的は、平積みの本を手に取るのではなく、自分が必要だと思う情報が載っている本のもとに向かい、適した内容であれば購入する、という行動だったのではないでしょうか。ビジネス書の場合、自分なりに仮説をもって必要だと思った上で購入して読書をしなければ、その本が持つ効果を十分に感じることはできないはずです。

発信元に会うことで情報の価値は100倍になる

書籍やネットメディアで書かれている情報は、情報の源泉、価値ある情報という観点から言えば、フックにはなっています。ですが、核心的な内容には触れていないことが多いです。私自身、これまで書籍を出版しているから分かるのですが、伝えたいことの10％ほどしか表現できていないのではないか、というのが率直なところです。

この10%とは、情報は各人それぞれにカスタマイズする必要があるからです。言い方を変えると、同じテーマであっても、情報を受け取る側の属性や目的により、調整する必要があるということ。そういった意味も含めての、10%です。

では、価値ある核心的な情報はどこにあるのか。記事であれば取材対象者、書籍であれば著者でしょう。アカデミックな情報であれば、同情報に関する講義やセミナーなどに参加するのがベストです。自分が何者であるのかを伝えれば、それに合わせた対話ができ、それに合わせたメッセージも得られることがあります。いわばキャッチボールの速度をプロならプロ、小学生なら小学生に受けやすいボールにすることに似ています。

それほど難しく考える必要はありません。たとえば、日経新聞を読んでいて気になる情報があった。あるいは書籍を読んでいて、情報を深掘りしたいと思った。技術者であれば、最新テクノロジーに関する記事を読んだ。論文を読んでより深く、テクノロジーについて知りたくなった、など。

このような思いを実際に行動に移し、著者などに連絡を取ればいいのです。多くの場合、それなりの著名人、見識者は連絡が取れるアドレスなり連絡先を、オープンにしています。

そこから、接触を試みてください。フェイスブックに登録している方だったら、メッセージを送るのもいいと思います。

多くの方は、きちんとした礼儀や正しい流れで連絡を取れば、応じてくれます。そして本では書かれてない、ネットメディアでは公開していない、より深い情報を知ることができるかもしれない。中には、最新の研究内容を教えてくれる場合もあるでしょうし、自分の分野と関連する情報について、より深く教えてくれることもあります。

私自身もこのようなスタンスで、これまで多くの方々に連絡を取り、実際に会い、価値ある情報を得てきました。たとえば、ハーバード大学をはじめとして、いくつかの大学でも教授をされてきた、ある先生がいらっしゃいます。

企業経営の専門家で、何冊もの著書を書かれている方ですが、私は先生の著書を読み、深く知りたいと思う箇所がありました。ハーバード大学ですれ違うことは何度かあったのですが、しっかりと話す機会を得ることができませんでした。

それでも諦めず、その後、なんとか時間を作っていただき、直接会い、じっくりと話すことができました。すると、本では触れることが難しかった内容なども、聞くことができました。

私がベンチャー投資家として活動していること、ハーバード大学の卒業生であることなどを伝えると、本の情報からさらに発展させてカスタマイズして、私だけの価値ある情報を提供してくれたのです。その対話は本で得た情報の価値に比べて何倍も高まったと感じるほどの衝撃でした。

いまの仕事でも同様です。投資対象となる可能性のあるベンチャーのトップとは、必ず直接やり取りするようにしています。M&Aなどの場合も同様の方法を採ることが必要でしょう。M&Aでは同事業を専門に手がけるデューデリジェンスなど、対象企業に関する情報を事細かに提供してくれる企業やサービスもあります。

しかしそのような情報は、二次あるいは三次情報になってしまう可能性があると私は捉えています。仲介業者のバイアスなどがかかり、自分にとって本当に最適な情報ではない場合もゼロとは言えないからです。ですから必ず、直接やり取りして、源泉の情報を得なければなりません。

一般的に情報は多い方がいいですから、直接やり取りする人も多ければ多いほどいいでしょう。ただし、気になる方全員に会うというのは、物理的に難しいですから、ある程度絞る必要はあります。

おすすめは、各分野やテーマごとに信頼して話を聞ける人のリストをそれぞれ設けることです。私の場合であれば、テクノロジー全般、AI、量子コンピュータ、安全保障、政策などの分野で100人以上の方と直接連絡が取れる状況を維持できるように心がけています。

メディアはフックとして活用する

メディアの情報は加工されている、二次、三次情報であると説明してきましたが、情報の源泉、発信元の人を知るフックとしての機能は非常に有効です。メディアは、気になる情報発信元を探すためのツールとして活用ができ、価値ある源泉を探すための助けとなります。

私が先程の先生のことを知ったのも、最初のきっかけは書籍でした。いまでは日本語訳も出ていますが、英語で書かれアメリカで出版されていた原書を読み、経営、特にイノベーションに関する内容や考察に関心を持ったので、直接連絡を取ろうとアクションを起こしました。

有名な話ですが、稀代の実業家である孫正義氏は、日本マクドナルドや日本トイザらスを経営した先輩実業家、藤田田氏の伝記本を読み、直接話が聞きたいと会いに行ったそうです。

　おそらく多くの人も、メディアで記事を読んだり、テレビに登場した経営者の発言や考察を見たりして、気に留める場合があると思います。重要なのは、そこから一歩進むことです。その方の情報を発信する大義があるのかを確認し、自分はその方に共感して、将来、その方のためにもなれると感じた場合には、ぜひとも連絡を取るべきですし、価値ある情報を得るには、必要なアクションだと言えます。もちろんもらってばかりでは単に調子の良い人になってしまうので、どうお返しをするかを考えなければなりません。

　逆の例も紹介します。私は複数の媒体で記事を書かせていただいていますが、同記事を見た読者の方から、連絡をいただくことがあります。中には、東証一部上場企業の社長さんもいました。

　問い合わせの内容は私が記事で発信した内容を、自社に重ね合わせて、その上でより深掘りした事柄を聞いてみたい、というものが大半です。具体的には、「当社の人材経営が、テクノロジーでどう変わるのか」「新規事業に投資する際のコツ」「テクノロジーを今後、いまの事業も含めてどう活かすべきか」などです。

価値ある情報を得ている経営者は、情報の源と直接連絡を取ることの重要性を認識しています。そして私もできる限り、諸先輩方にしていただいたように、質問者の方々にカスタマイズした情報を提供するようにしています。

経営者の方、特に大企業の方であれば、業界内はもちろん、経団連など業界外、さらにはその他さまざまな人とつながりがあり、コミュニケーションを取る機会も多いでしょう。しかし、すべての領域を網羅することは難しく、特に自分の業界から遠い分野の専門家とは、つながる機会が少ないのではないでしょうか。たとえば、テクノロジーや大学などアカデミック界隈の方たちは、財界とのパイプはそれほどないように感じるのです。

自分の業界ネットワークはどこまであるのかを把握しておく。その上で、それ以外のドメインの専門家と知り合うために、積極的に記事や書籍を読み本人に連絡する。このようなメディアの使い方を、私はおすすめします。

一次情報を持っている人とは〝紹介〟でつながる

一次情報を持っている人とつながるのは難しくない、とさらりと書きましたが、実際には、初めましてといきなり連絡を取ったからといって、すぐに一次情報を提供してくれる人はまずいません。

実際、私が先程の先生と会うまでには、新型コロナウイルスの影響もありましたが、最初に連絡を取ってから1年半くらいかかっています。メールのやり取りも、10往復くらいしました。

連絡を取る際のポイントは、共通の知人を探し出し、その知人に紹介してもらうことです。古い手法のようにも思えますが、紹介という時点で、知人からのお墨付きがあるわけですから有効ですし、ある意味一次面接を通過したようなものだと、私は考えています。

実際、私の下にも先ほど紹介したように突然連絡を取ってくる方がいますが、よほど具体的な提案でない限り、知人の紹介でしか会わないようにしています。特に、投資を学びたい、もしくは投資の依頼をしたいというベンチャーの方とは意識してそうしています。それなりに活躍している、あるいはポテンシャルをお持ちの方であれば、どこかで共通の知人がいるだろう、と考えるからでもあります。

私の場合は、ハーバード大学や東大、京大関係の友人のつながりでの紹介が多いですし、同コミュニティには多種多様な専門性を持つ人物が集まっていることが多いので、積極的に顔を出すようにもしています。

現に、私のこれまでの経験で一番ためになったと思える交流の場は、銀行員としてニューヨーク支店に駐在していた際に現地で開かれた、大学の同窓会でした。このままアメリカで経験を積むのか、それとも日本に戻るのか、判断材料を求めていた私に対し、現地で暮らしている同窓生から価値ある、最前線の助言を得ることができたからです。

その同窓会で得た価値ある助言をきっかけに、私は本腰を入れて国際社会でも通用するようになろうと、米国のトップスクールでの学位の取得を決めます。ニューヨークにいれば、金融の最先端情報が学べるだろう。このような仮説を持って行動したことも大きかったと思います。その後、『Japan as No.1』という本を執筆されたエズラ・ボーゲル先生（２０２０年12月に死去）が個人的に主宰する「ボーゲル塾」で、世界中から集まる学生や教授と知り合い、国内外のメディアでは大々的には扱われないが、自分にとっては貴重な体験を現地ですることになります。

コミュニティは学校だけではありません。これまで勤めてきた企業ももちろんですし、街の経営者交流会や、ちょっとしたパーティー、バーベキューなども含みますから、このような集まりに足を運び、意義ある人脈を増やすことも、価値ある情報を得るひとつのきっかけです。

ただし、経営者が集うコミュニティやネットワークの中には、ビジネスやサービスへの誘導が主目的の集まりも少なくないので、参加する際には注意が必要です。

コミュニティの良し悪しを判断するには、どのような人物が参加しているのかではなく、その逆を見ることも重要でしょう。誰が出ていないのか、ふだん似たような集まりでは必ず出席しているのに、その会には出ていない。つまり、不参加者の顔ぶれから判断します。

いわゆるお付き合いだけ、つまり価値ある情報を求めているのではなく、上辺だけの場への参加はあまりおすすめしません。数だけの知り合いを増やすだけのような会合には、参加しない方がいいでしょう。ノリの軽過ぎる集まりでは、自身が同類と認識されてしまうという心配もあります。

コミュニティでは、10人と交流して一人でも有意義な話ができたり、その後も続く関係性が築けたりすればよしとします。先の判断材料と同じく、こちらでも求める期待値は10%で十分だと思います。私も多くの交流会に参加していますが、その後連絡を取るような関係に発展する割合は、10人に一人程度です。

起業家の方たちへのおすすめとしては、たとえば起業家ネットワーク「ＥＯ(Entrepreneurs' Organization)」などが世界的に運営されています。どのコミュニティがベストとは言いませんが、どこのコミュニティに属そうか悩まれている方にとっては、ひとつの参考になるかと思います。

https://eotokyo.org/

共通の知人がいない場合でも、やり取りがきちんとしていれば、会ってくれる人物は少なくないと思います。ただし「会いたいです」と理由も書かずに、いきなりフェイスブックなどで直接メッセージを送るのはよろしくありません。単に調子の良い人や、ミーハーな人、詐欺を計画する人、不利益を被る相手なのではと、警戒されるからです。

なぜ会いたいのか、なぜ、連絡を取りたいのか。私に連絡を取ってきた経営者のように、理由を明確に添えるべきです。記事を読んで大いに感銘を受けた、でもいいでしょう。

ただし、人とのコミュニケーションはウインウインの関係が基本ですから、一方的に情報をくださいというようなアクションや、偏りがありすぎると思われる意見交換の申し出も、好まれません。自分が取ったアクションに対して、相手はどう思うのか。どのような反応を示すのか。相手の気持ち、立場に立った上で連絡をします。

このあたりはビジネスマナーや人としてのエチケット、とも言えるでしょう。相手のことをしっかりと調べた上で、その人に役立ちそうな情報も提供しながら、連絡を取るのです。

先述の先生に会うまでに時間がかかったように、二、三度のメッセージのやり取りでは、会ってくれないかもしれません。しかし、その数回のやり取りが重要なのです。やり取りを通じて、相手はその人が信頼に値するかどうか、センシティブな情報を伝えても大丈夫かどうか、判断しているからです。その上で、信頼が置け、意義があると判断すれば、連絡をくれるようになるでしょう。

ストラクチュアル・ホールな人とつながる

価値ある源泉情報を得るために人と会う。その際に参考となる考え方があるので、紹介します。ストラクチュアル・ホールというネットワーク理論です。

ストラクチュアル・ホールは、早稲田大学ビジネススクールの入山章栄教授が、人脈作りを説明するときによく用いています。ビジネスの世界では多数の業界やコミュニティが存在しますが、その境界をつなげる情報の交差点であると、説明できます。

ストラクチュアル・ホール

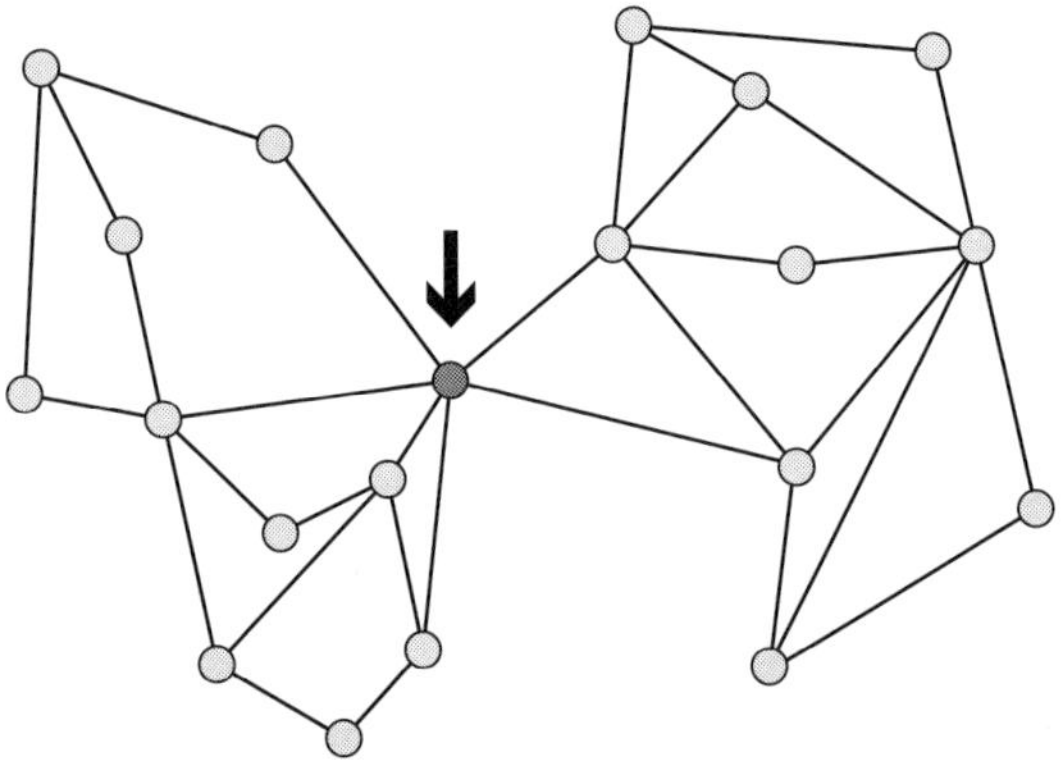

多くの人は、出身地や学校、職場、業界が同じ人とつながる傾向にあります。もちろんこのようなグループでの関係性も大事です。

一方で価値ある情報を得るとの観点から考えた場合、同じ属性の人たちとばかりつながっていると、業界内での情報には強くなりますが、業界を超える情報を得ることはできません。

ストラクチュアル・ホールのポジションに位置する人は、そのような業界を超えた情報を持っている人です。人脈が広く、境界内に閉じておらず、外向的で好奇心旺盛なタイプです。このようなタイプですから、新しい人との交流も積極的で、知人にもなりやすい。

図を見てもらうと分かりやすいと思います。

点は人で、点が絡み合っているのが、それぞれの業界。図の真ん中、業界ならびに人がつながる地点が、ストラクチュアル・ホールであり、情報はここに集まります。

ストラクチュアル・ホールな人とは、どこでつながればよいのか。基本は先述したとおり、知人の紹介やコミュニティ、交流の場です。ストラクチュアル・ホールな人は好奇心旺盛ですから、日本の場合、ビジネスに関する情報であれば東京、学問的な情報であれば、京都近辺にも多い傾向にあります。

グローバルで考えた場合には、もちろん変わります。東京ではなく、ボストンやカリフォルニア、ロンドンといったエリアに、多く集まっているのではないでしょうか。

そして同地域で開かれる招待制の交流会などに、参加するのです。参加する際には、自分のビジネスや興味の範囲を軸に、色々な所に飛び込んでいく意識が大事だと思います。できれば、自分よりも知識が豊富だと思える人と会い、そのような人が集まるコミュニティに参加するとより良いでしょう。

ストラクチュアル・ホールな人が参加するような交流会は、参加者の質を維持するために、招待制、クローズドの場合がほとんどです。ですからまずは交流会に招待されるために、自分の専門性を高め、相手に知ってもらう必要があります。

自分の得意分野、携わっている分野をタグづけして、情報発信することも重要です。どこの誰なのか、何をしている人なのかが明らかでなければ、そもそも誘われることがないからです。

一方で、それほど構える必要はありません。ベンチャーを経営している属性の人であれば招待されることが多いですし、大企業に所属しているのであれば、重要なプロジェクトを担当し、結果を出し、世間に知ってもらえれば呼ばれることが多いです。

あえて意識するとすれば、私利私欲のために事業やビジネスを行うのではなく、社会に役立ちたい、社会を改革したいなど、公明正大なマインドを持っているかどうかがポイントとなります。昨今であれば、ダイバーシティ、脱炭素といったキーワードに関する事業や取り組みでしょうか。

ストラクチュアル・ホールな人に限ったことではありませんが、年齢や業界、思考など、さまざまな属性の方とつながることをおすすめします。私のまわりにもストラクチュアル・ホールな知人は多く、年齢はさまざまです。20代もいますし、40代もいます。

自らが専門家であり、ストラクチュアル・ホールにつながっている、もしくは自分自身がストラクチュアル・ホールになっているのは、この変動の激しい時代を生きる経営者やビジネスパーソンにとって意義があります。

ただストラクチュアル・ホールになるには、性格的な部分も関係しますので、無理にはすすめません。色々な人と会うのが好き、他人と話すのが楽しいといった、外向的な性格の方が向いているからです。

たとえば私のストラクチュアル・ホールでのタグは、テクノロジー、個人投資家、ベンチャー、大企業、海外、などです。各分野においては私よりはるかに専門知識を持つ人が大勢いますが、それをつなげる人がなかなかいない。つなげることによって俯瞰的に私なりの洞察を出すことができる。これこそが、発信できる価値ある情報だと捉えています。

このように自分の発信できる情報の強みと弱みを理解することは大事です。

情報を得る前に自ら与える

一次情報を持つ人と関係性を構築するためには、お互いがウインウインな関係を作る、礼節をわきまえた上で動きを起こすことが大切だと、先ほど説明しました。この内容を、もう少し詳しく解説したいと思います。

相手にとって必要だと思える情報を、どんな些細なことでも構わないので、提供することが重要です。気づきでもいいですし、公なプレスリリースでも構いません。

相手は気づいていない視点である可能性があるからです。いまであれば直接会うことなく、メールでもメッセンジャーでも、情報のリンク元もあわせて、簡単に送ることができます。

知人を慮る親切心が、本当に価値ある情報を得るためにも、必要な行動でありマインドだと、私は思っています。私はそのような情報を頻繁に、知人に提供しています。

情報の視点を提供すると、多くの知人は「ありがとう」と返信をくれます。その上で、必要ではなかった情報であれば「でもスコープ外だった」と加えてくるかもしれません。そして、最も良い場合には「とても興味がある、もっと詳しく聞きたい」といったアクションを得られます。

私の場合はテクノロジー、特にベンチャーの情報について、大企業ではまだ知られていない情報を得ていることが多いです。情報を得ればプライバシーに配慮した上で興味がありそうな、必要だと思う知人に可能な限りで気づきを共有します。あるいは多くの人に知ってもらうべきだと感じた情報の際には、フェイスブックのポストなどを使って拡散しています。

なぜ、私が積極的に情報を発信しているのか。親切は弾性力の連鎖だと考えているからです。弾性力とはバネなどの物体が力を加えられたときに、元に戻ろうとする力を指します。大きな力を与えれば、大きな反作用が生まれるのです。

経験則的には、人に1の親切を与えても、親切として返ってくる弾性力は1より小さいことが多いでしょう。世の中が善意だけで回らないのはここに原因があります。誰かに親切にしても、その人に親切心がなかったり、またはお返しができる状況になかったりすれば、その親切心は返ってきません。しかし、そんな人だけではありませんので、この人は、と思える人に親切心を集約することによって、お互いの得意分野、不得意分野を補完できる関係を築くことも可能です。

情報の数でも同じです。とにかく相手にギブすればいいのだろうとの考えで、チェーンメールのように、相手が誰かも特に気にすることなく一斉に情報を送ったところで、自分のところには戻ってこないでしょう。

ここでも、先述のカスタマイズがポイントとなってきます。まだ世に出ていない、価値ある情報を得た。自分にはそれほど必要ではない。けれども友人のAであれば、情報にA

の事業を組み合わせることで、新しいビジネスが生まれる可能性があるのではないか。実際、自分はそのようなベンチャーもいくつか候補を知っている。このように、個々にカスタマイズした情報を提供するのです。

おそらく、活躍しているベンチャー経営者や、大企業のトップであれば当たり前のように行っている行動です。知人やビジネス関係者とのコミュニケーションではあると思いますが、改めて情報を得るという観点からも、いま一度振り返ってみるといいでしょう。

情報は足でも得る

新型コロナウイルスの影響もあり、初めて出会う人とも、オンラインでのやり取りからスタートし、その後の関係性もほぼオンラインで、との流れが一般的になりました。オンラインそのものは便利ですし、否定もしません。

一方で人に限らず、企業、製品などの価値ある情報を知るには、現地に自ら直接足を運ぶことが何よりも重要だと私は考えています。

たとえば、先ほども少し触れましたが、気になるベンチャーがあったら、私は自らの足でその企業ならびにトップとなるべくリアルに会い、会社の雰囲気や考え、人柄などを確認しています。

さらに、その人物や企業に会うきっかけとなったメディアがあれば、そのメディアで知り得た情報以上に深掘りしたいと感じた内容を直接聞きます。ここでも先述したとおり、記事を書いた記者の知識レベルにより、情報は異なるからです。

たとえば、ブロックチェーンに関するサービスを手がけているベンチャーがあったとします。具体的には、ＮＦＴに関するものでした。ＮＦＴとは、「Non-Fungible Token」の略で、非代替性トークンとも呼ばれる、ブロックチェーンにおけるデジタル台帳上のデータ単位ならびに鑑定書のようなものです。ブロックチェーンを活用して識別化を可能とした技術ですので、特定のトークンを誰が持っているのかを簡単に割り出すことができます。

もし、記事を書いた記者が同技術について自分より乏しい知識しか持っていなければ、それなりの情報で終わってしまいます。これは技術に限らず、あらゆる分野で言えることです。自分の専門的な分野をより深く知るためには、やはりメディアではなく、直接情報元を訪ねるのがベストなのです。

展示会は絶好の情報源

人や企業だけではありません。現在は新型コロナウイルスの影響でオンラインでの開催となっているケースが多い各種発表会や展示会といったイベントにも、できる限り足を運び、自分の目で、技術や最新トレンドを確認することが重要です。

たとえば、毎年1月にラスベガスで開催されている、世界最大のテクノロジー展示会ＣＥＳ（旧 Consumer Electronics Show）。私はできる限り毎年訪れていますが、オンラインからの情報では、知り得ない発見が往々にしてあります。

ＥＶのトップメーカーとして、トヨタ自動車の時価総額を上回るまでに成長したテスラ。一昔前であれば、ここまでテスラが成長すると思った人はいなかったでしょう。しかしそのような考えを抱いた多くの人は、実際にテスラを見たこともなければ、試乗したこともなかったのではないでしょうか。

一方、ＣＥＳでガソリン車を主に開発している企業の展示を訪問し、スタッフと会話したり、テスラを所有し、ふだん乗っていたりする人は違います。ガソリン車側の考えとテスラの考えと、実際の商品によって、今後どちらが優勢になりそうかということに気づけるからです。そのような立場からであれば、なぜ、テスラがここまでマーケットから支持されるのかを理解しますし、現在の成長もまったく不思議ではありません。

CESでは、プロトタイプモデルですが、ソニーが開発したEVの試作品もいち早く展示されていました。このソニーの試作品に、私は発表直後に座席に座る機会をいただき、将来のモビリティと音楽やエンタメの潜在能力を改めて認識しました。その結果、文字や写真だけでメディアが伝えている情報からはなかなか伝わりにくい感覚を得ることができましたし、今後他の企業がEV市場に参入する際に何を武器にしそうかという判断も、自分なりにすることができました。

世界中から人が集まる展示会に足を運ぶと、ひとつの製品やテクノロジーに関する情報の粒度が高まるのはもちろんです。しかもそこから、なぜアメリカでは次々と新しい技術やベンチャーが生まれ、成長していくのかといった文化やトレンドを、肌感覚で知ることもできるのです。そしてこのような感覚も、現地に行き、担当者と英語で直接コミュニケーションすることで、より深まります。

逆に、国内の日本人だけが集まっているような展示会には注意が必要です。マーケットが国内に限った製品を扱っている企業であればそれでも価値はあるでしょう。ですが、世界的に本当に重要な技術の情報はそこにはないことがほとんどです。海外から見ても革新的な技術であれば、CESのように、世界中から多くの人が訪れるはずだからです。

怖いのは、二次情報や三次情報をそのまま判断材料にすることです。現地に行くと、知り得ていた情報が間違いであったことや、新たな気づきを得ることが少なくありません。

ベンチャーが多いカリフォルニアも同様です。実際、どのようなベンチャーが拠点を構えているのか、どんな起業家、エンジニアが働いていて、具体的にどのようなサービスが開発されているのか、日本企業も多く進出しているが、現地ベンチャーとの関係性はどうか、など。実際に現地に足を運ぶことでしか知り得ない情報は、情報伝達が発達した現在でも多くあると思いますし、そちらの情報こそが実は重要だと私は考えています。

たとえば、抹茶でビジネスを創業した、World Matchaというベンチャーが良い例です。もともとは、日本の大手ドリンクメーカーで働いていた塚田英次郎氏が、日本とカリフォルニアを行き来する中で、アメリカで抹茶がブームになりつつあることを知り、起業を思いつきました。

勤めていた会社は大手でしたから、最初は企業の中のひとつの事業としてやろうと考えていたようです。ところが、抹茶ビジネスを展開することを社内で提言しても、経営層からは、アメリカで抹茶がブームになっているといってもこれからさらに加速するかは不透明だからということもあり却下されてしまいました。

　その結果、アメリカでの独立・起業を検討し、その相談が私のところにありました。私は彼が言うように、確かに抹茶がブームになりつつあるとのトレンドを、肌身で感じていました。

　そして彼は実際、コーヒーでいうネスプレッソのような製品を開発し、手軽に自宅や職場でできたての抹茶が楽しめる製品ならびにサービスを展開します。ハードウェアを作るなら、ＣＥＳに出展した方が良いという助言をすると見事に、２０２０年のＣＥＳで賞を獲得。そこで多くの海外企業、海外メディアや、日本のメディアからも注目されることになります。

　同社に限らず、現地ならではの情報を知ることで、ビジネスの成功を得る機会はかなりあります。インターネットが当たり前になり、現地に行くことなくあらゆる情報が手に入るような風潮がありますが、私はそうは思いません。

　やはり、情報の鮮度や確度という観点では、その場にいることとは違いがあります。地理的な要素も含め、一次情報にこそ価値があると考えるからです。だからこそ、気になる製品や企業を見つけた際には、たとえ海外であってもできるだけ足を運ぶべきだと思いますし、私はそのようにして情報を得るようにしています。

英語を学べば情報獲得の幅が広がる

英語が原文の記事を日本語に翻訳した時点で、記事の情報は源泉から一歩遠ざかります。一次情報なら二次情報、二次情報なら三次情報となってしまうのです。翻訳した人によって、あるいは専門性の理解や感覚によって日本語の内容が微妙に異なるからです。

英語力が乏しいと、情報の背景にある文化や各種情報を取得することができない、とのデメリットもあります。たとえば、新型コロナウイルス関連の記事でよく見られる「public health」という単語。日本語では「公衆衛生」と訳されることが多いようですが、正確ではありません。

公衆衛生と聞いて、多くの日本人は単語そのままに、「大勢の人が集まる、公の場所での衛生」だと理解するからです。一方で、アメリカ人の感覚は異なります。「public health」という単語には、「社会の健康」といま社会で問題となっている個人のメンタルヘルスも含まれ、日本人のイメージよりも広い意味を持っています。

現地にいないと分からない、正確な情報を得ることができない場合もあります。同じく、ヘルスケア領域に関する記事を例に挙げます。ボストンで行われているヘルスケアを紹介する内容でしたが、訳された方はおそらくアメリカの事情に精通していたのでしょう。特に補足説明などはなく、原文を直訳したような内容が掲載されていました。しかしそもそも、ボストンがアメリカではヘルスケアも含め、医療が進んでいる最先端の都市であるという情報を知っていなければ、読み進めることが難しくその背景にある意味も理解できない内容だと、言わざるを得ませんでした。

逆に、日本人であれば、鳥取は砂丘、茨城は納豆が有名だと多くの人が知っていますが、グローバルではどうでしょう。知っている人はわずかだと思います。翻訳というフィルターを通すと、どうしてもこのような基礎知識を必要とする内容を、うまく表現できません。その結果、正しい情報を得ることができないのです。

ジョークもいい例です。ニューヨーカーはスターバックスを片手に早足で通勤をする。このような表現をジョークも込めてアメリカではよくしますが、まさに先の鳥取砂丘と同様で、ニューヨーカーはせかせかと歩き、スターバックスのコーヒーを毎日飲んでいる、金に目がない、といった風潮を知っていないと、ジョークだと分かりません。

このように、背景やジョークを理解するためには、現地のことを知り、さらに、原文を読む必要があります。それができて初めて、一次情報を得ることができるのです。

世界の情報は英語でできている

単純に話者の数で考えても、世界でやり取りされている情報の約30%は英語です。一方で、日本人の人口比率は世界の中でわずか1・6%。つまり、日本語の情報よりも、いかに英語の情報量が多いかは明らかです。

英語の原文を読むことは、情報の鮮度という観点からも重要です。たとえば、日本市場を瞬く間に席巻したiPhone。日本に入ってきたのは2008年でした。発売直後ではなく、2代目の機種になってからです。重要なのは、その時点ですでに世界では約600万台も売れていたことです。

にもかかわらず、日本のマーケットはこれまでに主流だった折りたたみ携帯が一部分では優秀なこともあって、海外からの情報の取得に消極的でほとんど情報が入ってきませんでした。グローバルレベル、英語での情報は飛び交っていたにもかかわらず、です。

その結果もありどうなったか。日本企業はシェアにおいてiPhoneに対抗することができませんでした。そしてこのような情報格差、特にグローバルで当たり前の情報が日本語に訳されず、日本のマーケットにまだ入ってきていないがために、知り得ない。結果、ビジネスで大きな危機が迫っているのにもかかわらず、気づかないケースがあまりに多いのです。

アメリカで若者を中心に爆発的な人気を得ている、投資アプリを開発するフィンテックベンチャー、ロビンフッドも同様です。最近では日本のメディアで取り上げられる機会も増えてきましたが、ほんの数年前までは、存在すら知らない日本人が多かった。現時点では日本への参入はありませんが、いずれ入ってくるでしょうし、そうなれば日本の証券会社や、金融業界にとっては大きな脅威になると私は見ています。

海外、英語の情報だからといって日本語に訳されるまで待っていたら、それこそビジネスチャンスを逃すばかりか、逆に、ピンチに陥るケースも多い。グローバルの情報を英語の原文で確認し、世界のトレンドを知ることが大切です。英語はできたら有利、というコスパ計算ではなく、できなかったら致命傷になり得るという危機感の方が重要でしょう。

論文は最もバイアスがかかりにくい情報の源泉

論文とは、過去の研究結果を踏まえた上で、新しい発見にアプローチを試みた知の結晶です。その成果から、社会に役立つアイデアが生まれるかもしれない。重要なのは、限りなくバイアスが排除されている情報の源泉であることです。

きちんとしたメディアやプレスリリースであれば、情報元である論文が読めるリンクを貼ってある場合が多いのです。言い方を変えると、論文のリンクが貼っていない記事は、信頼性に乏しいと言えます。

たとえば、ＡＩの研究に注力しているグーグルが同研究内容を発表する際には、必ずと言っていいほど、記事にリンクが貼ってあります。著名な学術雑誌での査読を経た論文の一次情報によって、記事の信頼性が担保されているのです。

論文を見ると、どのような情報を得ることができるのか。たとえば、最近話題となっている量子コンピュータに関する研究を見てみましょう。これまでのゼロイチというデジタルで計算するコンピュータよりも高性能だと記述する記事が多いですが、記事ではなく、元の論文をたどっていくと、ある特定の問題を解く場合に高性能だということが分かってきます。

量子コンピュータの例では、テクノロジーに関する知識もそれなりに必要ですが、基本、論文を読めば、どちらのコンピュータの性能が優れたものになっていきそうなのかの目安、つまり仮説を自分なりに立てることができます。量子コンピュータがこの先、従来のコンピュータを凌駕するといった一般的な記事の論調ではなく、元の論文を読むことにより、自分なりのインサイトを持つことできる。これが、重要なのです。

実際、量子コンピュータの開発においては多くの企業がしのぎを削っていますから、技術者はもちろん、経営者は果たしてこの先どちらのコンピュータがマーケットで支持されるのか、その判断材料も、論文を読むことで得られます。

ここでひとつ注意したいのは、論文だから必ず正しいと盲目的に信じてはいけないということです。査読が済んでいないプレプリントの論文や、論文の都合の良い箇所だけを切り取るものも含め、特に新型コロナウイルス関連では、誤解を生じさせるような論文が出回っていました。副反応も含めたワクチンの安全性などもそうです。実際、発表後に撤回されたものもありました。

論文は一次情報に近い信頼性があるものではありますが、どこのお墨付きを得ているのか、査読されているのかが重要になってきます。この点においては、信頼のおけるメディア、そうではないメディアの判断と同じと言えるでしょう。

イギリスの総合学術雑誌、ネイチャー（Nature）はおすすめです。掲載前に専門家が必ず内容をチェックする査読が行われている可能性が高いからです。

私がテクノロジー界隈の情報、論文を見る機会が多いのでNatureを挙げましたが、それ以外の領域でも同じように、一流の専門家による査読を通過した論文を記事とあわせて紹介しているジャーナルは多数あります。自分の調べている業界では、どこのジャーナルに掲載されている論文を読むべきかを、チェックしておくといいでしょう。

情報の源泉は人ですから、その論文を誰が書いたのかももちろん重要ですし、私も必ず確認しています。聞いたことがない研究者であっても、属性を見れば、専門領域であるかどうかは明白ですし、経歴を詐称することは、特にアカデミックな業界ではほぼ不可能に近くなりつつあるので、そこまで気にする必要はありません。そもそも、もともと特許庁で働いていた26歳のアインシュタインのような特殊な天才でなければ、ぽっと出の研究者がいきなり大きな発見をすることはなかなかありませんから、そこは単に、自分の理解が不足していただけ、と捉えるべきです。

論文と聞くと、膨大な紙の資料を想像する人も多いようですが、現在ではＰＤＦ化されたものがネット上に公開、リンクされていますので、誰でも気軽に読むことができます。

ちなみに、中国語やスペイン語も世界で広く使われている言語ではありますが、論文においては、現在は英語で書くことが世界のスタンダードになっていますし、論文を書くような人たちは、英語力が備わっている場合が多いです。まずは論文が読める程度の英語力を身につけることが、価値ある情報を見極めるためにも必要です。

その上で、余裕がある人であれば、中国語やスペイン語を学ぶといいでしょう。医学領域であればドイツ語に関する論文が多い時代もありましたが、いまは基本的に英語です。

特に、昨今の企業経営で必須な要素であるテクノロジーに関しては、主要な技術、知っておくべき基礎の情報はほぼ論文になっています。最先端のテクノロジーを知ることはもちろんですが、今後の予測、ビジネスのシナリオを描くことにも寄与します。

英語とは直接関係ありませんが、論文を読んでいると、特にテクノロジーに関する内容ではデータの解釈が度々登場します。この手のデータの見方も知っておくことが重要ですし、基本的な論文の構造や特徴を知っておくとよいでしょう。

何歳からでも英語は学ぶべき

「70歳を超えているので、いまから英語を学ぶ必要はないと考えている。身につけることができるとも思わない」

シニア経営者の中には、このようなお気持ちを持つ方もおられると思います。ですが、その考えはどうか捨ててください。70歳ではなく、80歳を超えているとしても、ビジネスの現場に立っている人であれば、いくつになっても英語はマストです。学ぶべき必要性があります。

理由は明白、先述したとおりです。英語力がなければ、海外の原文のニュースや論文が読めません。グローバルで考えた場合には、価値ある情報の大半は英語です。英語力を身につけることは、情報を得るために避けては通れない道なのです。

翻訳機能が備わったウェブブラウザや、各種翻訳ツールを使えばいいのではないか。このように考える人もいるかと思います。補助としては良いのですが、翻訳をしているのはディープラーニングなどのＡＩエンジンであり、その言葉のニュアンスなどをすべて伝えられるかという点において現時点では万能ではありません。たとえばフェイクニュースであっても、そのまま翻訳してしまいます。一方、英語力があれば、原文を読んだ時点で違和感に気づきます。

英語力が必要なのは、ニュースなどで情報を得る際だけではありません。リアルの場、外国企業との交渉の席でも、特に会社のトップの人は、必要になります。もちろん通訳を介したり、シーンによってはポケトークなどによる通訳で対応できる場合もあるでしょう。

しかし、グローバルの感覚としては、通訳がついた時点で本人に対する信用度はぐっと下がります。お互いの距離が遠く感じられるからです。特に、交渉の席などではお互いの関係性が深まった方が良いですから、機会損失にもつながりかねません。会社の買収などの交渉では、トップとトップの対話が重要ですから、通訳を介してであると効率が悪くなります。

仮にそのような厳粛な交渉の場でなくても、英語力があれば、交渉が終わった後にもカジュアルな形で多くの人と直接交流することができます。そして直接のコミュニケーションにこそ、価値ある情報が眠っているのです。

テクノロジーが進化し、リアルタイムで翻訳できる社会になるから、英語力はそれほど重要ではなくなる。以前からよく聞かれる話ですが、20年以上前から同じような話はありました。確かにポケトークやＡＩの登場によりそれに近い世界にはなっていますが、英語力がまったく必要ない世界にはなっていません。そして、この先もならないと私は見ています。

面白いトピックがあるので紹介します。ポケトークの開発者であるソースネクストの松田憲幸代表は日本ＩＢＭ時代、英語で大変苦労したそうです。その経験がありポケトークを開発します。しかしそんな彼でさえ、いまも英語を学んでいるそうです。つまり彼自身が、ポケトークは世界を広げるひとつのツールですが、同時に、それをきっかけに更に英語を学ぶ価値もあると示しています。

では、どうやって英語力を身につけていくか。まず、翻訳機能やポケトークはこれまでどおり、サポートツールとして使うことができます。その上で、特に時間があまり取れない経営者であれば、英語学校などに通うよりも、家庭教師をつけた方がいいでしょう。

その他の手段としては、楽天のように社内の公用語を英語にしてしまうという方法も考えられます。英語を話す外国人材を積極的に採用するのもいいと思います。このような経営判断は、今後、日本の人口減少が見込まれることを鑑みても、理にかなった取り組みだと私は感じています。

実際、ソニーやトヨタといった大企業も、外国出身の人材を採用することに積極的です。

それも幹部クラスで採用しているとあって、その傾向の現れが顕著であると見て取れます。Never too late――。何かを始めることに遅過ぎるということはありません。いくつであっても、ぜひとも英語を学んで、情報の源泉に触れてください。

SNSは情報の宝庫

情報を得るため、情報の発信者と直接コンタクトを取るという観点から考えても、SNSの力は大きいです。裏を取る必要はありますが情報の宝庫、とも言えるでしょう。たとえば、業界で有名な人物が、ある事象についてポストをしていた。その情報について深掘りしたければ、メッセンジャーで簡便に連絡を取ることができるからです。

ただSNSもいくつかありますので、違いも含め、どのSNSに価値ある源泉情報があるのか、ある程度の知識を持っておく必要はあります。

一番のおすすめは、フェイスブックです。実名で登録している人が多いことが理由に挙げられます。実際に会ったことがある人とつながることを想定した設計だからです。フェイスブックであれば、友達限定で情報を公開することもできますから、コミュニティの機能も有している。実際、特定テーマだけの知人を集め、日々情報を交換するような、クローズドなコミュニティを構築することもできます。

ツイッターについては後ほど詳しく触れますが、基本的には、実名のアカウントで発信している情報に価値があると考えていいでしょう。たとえば、イーロン・マスク氏や孫正義氏のツイートです。

イーロン・マスク氏のツイートを見ると分かりますが、見ているこちらが心配するほど、まだ世には出ていない、会社として公式発表していないような情報が、彼の発言として出ています。

お騒がせ的なツイートも多いですが、同氏の素直な意見と、大胆な判断はその後のテクノロジー業界へ大きく影響が及ぶ可能性もあるので、私はチェックしています。孫正義氏も同じく本音のツイートが多いので、見る価値は大いにあると思います。

ツイッターのファウンダーであるジャック・ドーシー氏や、LinkedIn（リンクトイン）の創業者であるリード・ギャレット・ホフマン氏といった起業家なども実名アカウントで発信しているため、私はフォローしています。このようなＳＮＳから情報を得る場合にも、やはり英語で投稿されているため知識が必要です。

私の場合はテクノロジー界隈や起業家のＳＮＳをチェックすることが多いですが、読者によっては、自分の業界に関連する情報を実名で発信する人物をフォローするなどして、定期的に覗いてみるといいでしょう。

業界により、SNSを選択する必要もあります。人材系の情報を得たい方であれば、リンクトインなど、転職系サービスとも言われるビジネスSNSの情報をチェックするといいと思います。ただしSNSの情報は個人であれ企業であれ、アカウントの持ち主が投稿していますから一次情報のはずなのですが、あえて加工している場合が往々に存在します。

SNSでも重要なのは、ツイートやポスト、プロフィールはあくまでその人物や企業を知るためのきっかけであるということ。気になる情報を見つけたらそこから一歩踏み込み、本人にコンタクトを取ったり、共通の信頼できる知人に確かめたりすることが、意味のある情報を得るためには必要です。SNSはそのハードルが低いために、使わない手はない有用なツールだと言えます。

第2章　価値ある情報をどう見極めるのか

情報を集める最低限の準備

第1章で、価値ある情報は源泉、情報を発信している一次情報が重要だと説明しました。そして、その源泉にたどりつくためのきっかけとして、メディアを利用することも有効だとも述べました。つまり重要なのは、川の砂に紛れている砂金のように、メディアの中に埋もれている情報をどう選別するかです。

たとえば、フィンテックに関するある記事が日経新聞に取り上げられていたとします。記事のボリュームはそれほど大きくないし、一面でもない。けれども実は、後にこの技術は、人々の生活を一変させる革新的なものに成長する。そうなる前に「この情報に価値があるのではないか」と思えるか、気づくことができるかどうか。ここが投資にしても経営にしても大きな分かれ目となるポイントだと言えます。

先ほど紹介した、ビットコイン、ブロックチェーン技術などはまさに代表例です。まわりの多くの人が「何か怪しい」と思う中、ネットワークセキュリティにおける画期的なテクノロジーであり、これまでのように、ネット上でなりすましを働く人が減る可能性を秘めた技術であるのではないか、と考えられるかどうかです。テクノロジーと経済学の基礎知識を持つ人であれば、そこに気づくことはそう難しくないでしょう。

価値ある情報への気づきにつながるのは、知識だけではありません。世代や感性も大きく関係しています。たとえばTikTok（ティックトック）。若い世代の人は、登場するとすぐに面白いアプリだと多くの人が飛びつき、世界中で、爆発的な人気アプリとなりました。

一方で、50歳以上の人はどうでしょうか。ティックトックを面白いと感じる感性を持つ方もいるかもしれませんが、若い世代に比べたら割合は圧倒的に少ないと思います。多くの人が「なにこれ、どこが面白いのか分からない。ユーチューブの方がいい」と答えるのではないでしょうか。そのような感覚だと、使ってみることができてもいまのような成長は予測できません。

いまの世の中には数多くのメディアがあり、情報で溢れています。正直、その中から価値ある情報に気づくことは、難しいでしょう。ただ言えることは、物事の原理原則やファクト、基礎的な知識をふだんから身につけ、アンテナを立てておくことが大事だということです。新しい情報が出てきたときに、この先価値ある情報になり得るのか、自分なりに仮説を立てるなど、シミュレーションする癖をつけておくことが重要です。

新型コロナウイルスに関する情報が分かりやすい例でしょう。新型コロナウイルスに関する知識を何も持たずに情報に触れるのと、それなりに学習してから触れるのとでは、情報に対する見方は大きく異なります。日本に到来する以前、新型コロナに感染すれば相応の割合で重症化し、死亡してしまうと考えていた人も多くいるのではないでしょうか。まだ誤った認識を持っている方もいるかもしれませんが、情報を集めて学習することで重症化しやすい人の特徴や正しい認識に近づけます。情報を見るための基礎知識さえ持っていれば、情報の大海に埋もれた中から、自分に本当に必要な情報を見つけることにつながる可能性は、確実に高まるのです。

業界地図を手元に置く

ふだんの仕事とは違う特定テーマや新しい企業について、情報を得たいとします。多くの人が、その企業やテーマについて、徹底的に深掘りして調べていくことでしょう。重要な作業です。

一方で、「木を見て森を見ず」との言葉があるように、企業が属する業界やテーマのドメイン全体の情報も、あわせて調べることが必要です。

将棋をイメージしてください。極端なたとえですが、一つひとつの駒の性質や動きばかりに注意を払っていただけでは、勝負に勝つことはありません。将棋のルールをしっかりと学び、盤の上の駒全体を把握した上で、相手の駒の動きに注意を払うことで、対局として成り立ちます。ビジネスも同じです。各プレイヤーは相手の動きを読み、自分の対応を決めます。ミクロ、マクロどちらの視点も重要です。

企業に関する情報を調べるトピックに話を戻せば、メディア各社が出している「業界地図」が有効です。業界地図を見ることで各社の動きだけでなく、業界全体や、業界同士のコンテクストを知ることができます。

たとえば商社はどうでしょうか。業界地図を見れば、伊藤忠商事、住友商事の2社の業績が伸びていることが分かります。伸びている理由をたどってみると、住友商事は量子コンピュータの分野に注力していて、同分野の研究に力を入れている東北大学と協力しているといった情報を得ることができます。

そして、伊藤忠商事も同じくテクノロジーに注力していますが、こちらは量子コンピュータではなく、バイオ領域のユーグレナと協力して、新しい取り組みなどに臨んでいるようです。伸びている両社はテクノロジーへの取り組みを強化したという共通点を見つけることができました。

　会社内部の人間ではありませんので、どこまで取り組みが進んでいるのか、ミクロな情報は知りません。しかしテクノロジーがトレンドであり、各商社がそれぞれの分野の専門家や学者と組んでいることは分かります。

　このような大枠の動きが見て取れる。すると、他の商社もおそらく、このトレンドに追従もしくは別の手を打ってくるだろうという予測がたちます。全体を見れば、そのような仮説につながっていくのです。たとえば、三菱商事はアマゾンに太陽光発電などの再生エネルギーを提供する契約を締結したと、２０２１年の９月に発表しています。この気づきがとても重要であり、一企業や業種だけを調べていただけでは得られない情報とも言えます。

　テクノロジーの情報という点であれば、ＧＡＦＡを全体として捉え、その動きを見ることも重要です。それぞれの企業の情報を深掘りしていくことも大切ですが、各社の得意な分野、不得意な分野を把握した上で全体の動きを知ることで、たとえばこれからは金融ビジネスがトレンドになっていくというような予測がたちます。

　前提としてＡＩに関する技術競争はますます過熱していくでしょう。ＧＡＦＡの中では、すべての企業がＡＩの扱いが得意なわけではありません。どの企業がＡＩで優位性があるのかなど、一社からの情報を得ているだけでは、大きな情報の流れを知ることができないのです。データが現代の石油と言われ、圧倒的なデータを保持するＧＡＦＡとそれに加えたマイクロソフトは投資家からの期待を反映する時価総額でも、日本最大であるトヨタの約7倍に相当する２００兆円を超える企業が出てきています。その中でも、モバイルのＯＳやアプリストアを持っていたり、ハードウェアが得意だったりと一社一社に得手不得手がありながら、お互い激しく争っているため、この5社は包括的にしっかり見ていく必要があります。ＧＡＦＡとマイクロソフトが現代のビジネスをリードし、その傾向が続くことが見込まれるので、ここを押さえておくことはビジネス全体を俯瞰することにつながっていきます。

　そういった観点からも、業界地図は手元に置いておくべきだと思いますし、私もことあるごとに参考にしています。ただし、ミクロな情報に関しては個別に調べる必要があります。

　また、業界地図は毎年最新版が出ていますから、情報が新しいこともポイントです。最近のトレンドでは、５Ｇや量子コンピュータに関する各社の取り組みもまとめられています。勢力図など、短い記事ではなかなか知り得ない、個別の企業の動きだけを見ていては分からない内容がまとまっているのです。全体の動きや今後のシナリオを作成するのに、大局観の基礎を得ることができます。

業界地図は、さまざまなメディアが出していますが、個人的には東洋経済新報社のものをおすすめします。『会社四季報』を作成しているからなのか、細かな情報まで網羅していることや、先に触れた量子コンピュータなどの最新テクノロジーに関する紹介が充実していること、そして、切り口が読み手をひきつける見せ方、構成になっていることが理由に挙げられます。とても分かりやすい構成です。

たとえばゲーム業界を見てみましょう。他社の場合は、各社の売上を紹介する情報に留まる場合が多いですが、東洋経済新報社はあるゲームに特化して、そのゲームはどのような理由で注目を集めているのかといった、細かな情報にまでアプローチしています。

これは私が繰り返し伝えていることですが、企業の状態や価値を判断する上で重要なのは、現在の売上ではなく、今後どれくらい成長するかという点です。その基となるサービスを持っているかどうかを把握しなければなりません。売上がいくらというだけでは情報として不完全で、重要なのはバリエーションや、時価総額に通じるような将来の見込みだと考えています。

東洋経済新報社の業界地図を見ていると、仮説を立てるのに役立つ情報が、意識的に盛り込まれていると感じます。私はリアルな書籍版を見ていますが、デジタル版でも有用でしょう。

会社の成り立ちや創業者の想いを知る

今期の業績が赤字だとしても、実はその後大きく飛躍する企業は少なくありません。ではどのように見極めればいいのでしょうか。

売上の低迷や赤字がビジネスモデル改革のために意識的にやっているのか、慢性的なのか。時価総額に表れる投資家の反応も判断のひとつですが、会社の成り立ちや、いまのトップの考えを知るのが一番だと私は考えています。

どんなに大きな企業であっても、創業時は創業者が興したベンチャーであり、世の中にないものを作りたいという想いから出発したはずです。人々の暮らしを豊かにするインフラを整備したい、人々がよりやりたいことに注力できる環境を作りたいなど。創業者の確固たる想い、いまどきの言葉で説明すれば、ミッションやパーパスが必ずやあったのです。

創業時から連綿と続いている企業の理念を知り、いまの経営体制にそれが受け継がれているか、進化しているかを経営者の言葉から確認することが、企業を深く知り、今後の成長を見極める上で非常に重要です。たとえば、現在は赤字だけれども、それは理念に則った投資をしているから、いまは耐える時期だと考えている、という場合があります。

アマゾンは、長きにわたって赤字が続いていました。創業からしばらくは膨大な売上を得ながらも、顧客ファーストを貫くために倉庫などの物理的インフラだけでなく、世界に先駆けてクラウドにも積極的に投資を行っていたのです。そのときの業績だけを見ていては、いまの実績などとても予測がつきません。

会社の成り立ち、理念を知る方法も、ベストなのは創業者本人と直接会い、本人と対話することです。ただし創業者がすでに他界されている場合もありますし、大企業であれば、海外のベンチャーなどは連絡を取るのが難しい場合もあります。

そのような場合は、あくまで二次情報だと理解した上で、創業者や経営陣の想いが書かれている伝記本を読むことや、インタビューの動画を見ることをおすすめします。たとえば私が最近読んだ一冊は、ソニーを立て直した平井一夫前社長が書いた『ソニー再生　変革を成し遂げた「異端のリーダーシップ」』です。

同社は日本を代表するエレキの会社として有名ですが、そのイメージが強過ぎて低迷した時期がありました。しかし、創業者の理念と、現代のビジネスの環境を踏まえた上で、音楽やアニメ、ゲーム、センサー、金融などこれからのビジネスにとって重要な領域を明確に打ち出しました。また、同社は「クリエイティビティとテクノロジーの力で、世界を感動で満たす。」を、存在意義（パーパス）として最近は打ち立てています。聞くだけでもワクワクしませんか。

もの作りからデジタルへビジネスの主戦場が移る中で、自社の立ち位置を冷静に判断して、注力する分野や、存在意義を進化させたのです。しかも、その改革の初期を担ったのはエンジニアでなく、洋楽や、プレイステーション、インターネット関連のビジネスを経験した平井氏でした。平井氏は国際基督教大学（ＩＣＵ）出身で、海外の経験が長く、英語が堪能であるがため、海外の動向をリアルタイムに把握し、他の企業のトップとのコミュニケーションも円滑でした。そして、同時に技術者など違った領域の専門家とのコミュニケーションも卓越しています。

まさに、ストラクチュアル・ホールの人材でしょう。これまでの出世コースの人材でなく、新しい時代には新しい経験をした人材をトップに抜擢する体制、文化があったことは同社にとって大きな差別化になっています。そして、平井氏自身も、職を退いてからは後任に影響をなるべく残さず、子供の就学を支援する非営利団体事業に力を注ぐとしています。組織としての新陳代謝が機能しているように見えます。

その後任の吉田憲一郎氏も、『DIAMONDハーバード・ビジネス・レビュー』という雑誌のインタビューや、電動自動車の試作品ビジョンSを発表したCESでのスピーチ（ユーチューブなどでいまでも見ることができます）を聞くと、インターネット子会社のソネット出身ということもあり、デジタルのことをよく理解したビジョンを掲げていることが分かります。

こういった、企業の歴史という流れと、現在の経営陣の行動や、想いというスナップショットの両方が立体的な理解を生み出します。

スナップショットではなく〝流れ〟を意識する

情報を得る際には、先ほどのように現在の一時点でのスナップショット的な情報だけでなく情報の〝流れ〟、つまり、前後の情報も加味することが、情報の価値をより見極めることにつながっていきます。

現在の情報を見ているだけでは知り得ない情報とはたとえば、先の創業者の想いなどを知ることです。より洞察を含んだ仮説を作ることができます。そしてこれは、ビジネスであれば企業に限らず業界全体にも該当します。

いま日本でＡＴＭの手数料が安くなっています。ここでもトピックの背景には、さまざまな情報があるのです。きっかけのひとつに、ロビンフッドが挙げられるでしょう。株式取引を無料で行うサービスを提供するベンチャーの登場で、アメリカの一部の証券会社はそれまで有料であった取引手数料を無料にせざるを得なくなりました。その波が日本にも押し寄せ、ＳＢＩ証券が25歳以下のユーザーの取引においては、無料にすると発表しています。

ロビンフッドなどフィンテックベンチャーの台頭により、これまでは当たり前であった金融サービスにおける各種手数料が、次々と無料になっていきました。その上での銀行ＡＴＭの取引手数料引き下げという流れです。つまりこの情報から見極めるべきことは、単純にＡＴＭの手数料が安くなったということではなく、金融業界全体が大きな転換期にあり、銀行はフィンテック企業の無料サービスの圧力に曝されているということです。

映像業界の例も紹介しましょう。２０２１年6月にNetflix（ネットフリックス）とスティーブン・スピルバーグ氏が組んだとのニュースがありました。まず、この時点でのスナップショットの情報しか知らない人は、ネット動画配信の大手と、ハリウッド映画の巨匠がついにタッグを組んだ、と捉えるでしょう。

しかし情報の流れを知ると、見極めなければいけない価値は、別のところだと分かります。実はもともと、両者は対立していました。それまでのスピルバーグ氏は、ネットフリックスの事業は自分たちと相いれるものではないと考えており、「ネット動画は劇場で観る映画とは異なるものだ。だから、アカデミー賞を贈る必要はない」とも発言しています。

一方で、スピルバーグ氏はアップルの映像部門、Apple TV+と協力して、作品を制作・提供するなどの取り組みもしていました。つまりネット動画配信事業を批判はしていましたが、競合他社とは手を組んでいたわけです。そしてここからがポイントですが、Apple TV+で配信した作品は、思ったようなヒット作にはなりませんでした。

そこで、ネットフリックスです。ネット動画配信の王者として、現在のユーザー数は2億人を超えています。

ここまでユーザーを集めた理由は、レコメンデーションによる、最適な動画配信サービスでした。スポンサーへの配慮が必要なテレビ作品とは異なり、ニッチで独創的な、尖った作品が多いことが特徴に挙げられます。しかも、潤沢な予算があるため、優秀なクリエイターは次々とネットフリックスに転職していきました。２０２１年9月に世界的ヒットとなった『イカゲーム』はハリウッドを中心とする映像業界を震撼させました。

現時点ではディズニーなどの動画大手の猛追もありますが、ネットフリックスは作品の上では、今後もますます成長するし、マーケットから支持されることが予想され、おそらくスピルバーグ氏も、このようなトレンドに気づいたのでしょう。彼の目指すべきところは、いかに良質な作品を作り世に送り出すか、ですから、実現できそうなネットフリックスと手を組んだ方が得策だと考えるのは自然です。

第４章でも詳しく触れますが自分たちの業界以外、一見すると関係性がないような業界の情報ならびに流れを知ることも重要です。ミクロではなく、マクロで、そして流れも加味しつつ情報を得ることを、いつも意識する必要があります。

何よりも先に仮説を立てる

情報を得る前にも、仮説を立てることが重要です。ある程度の当たりをつける、とも言えます。仮説を立てることで効率的に、自分に必要な情報のみを得ることができるからです。

逆に、仮説を立てないで情報に接すると、質というよりは膨大さという量に振り回される可能性が高いです。どの情報にも価値があるように思えたり、あらゆる情報を得ようとしたりしてしまうからです。

たとえば、鉄鋼業界に関する情報を得ようとした場合を考えてみます。単に各社の生産量をチェックするか、生産拠点が増えたか減ったか、といったニュースを見ているだけでは、情報の裏を見極めることはできません。

本当に価値ある情報とは、今後10年先の鉄鋼業界の未来を見極められる要因のひとつになり得るかどうかです。単年で見て増えていたとして、この先も生産量は増えるのか、それとも減るのか。同じく生産拠点はどう変化するのか。仮説を立てた上で情報に接することが重要です。

この先鉄鋼業界は盛り上がる。生産量も増えていく。こうした仮説を立てて情報を取得していけば、いまの伸び率が今後10年を考える上でどのような意味を持つのかというところまで見極めようとするはずです。

そうすることで、いま鉄鋼業界は脱炭素化の流れで打撃を受けているようだ。この流れは10年後にいまよりも進んでいることが予想されるから、そうなると仮説は間違っている可能性もある。このようにさまざまな情報も加味した上で、より正確な予想を導き出せるでしょう。ここでも、先述したように目の前のミクロな情報だけでなく、業界を超えた、さらには時間軸も含めたマクロな視座で情報を捉えることで、他の情報との違いがより鮮明になります。

新規事業やベンチャーなどで、投資対象を見る際の情報の得方、仮説の立て方についても紹介します。悪い見本は、何の情報も仮説も持たずに漫然と企業を見ることです。まずは対象となるベンチャーが属する業界の情報を調べ、マクロ的なトレンドとして、この先伸びる業界なのかどうかを確認しておきます。あくまで自分なりのインサイト、仮説で構いません。

そして開発しているプロダクトや経営陣の略歴、信頼できる人からの評判も事前に調べ、大手に負けないだけの強みがあるかどうかを判断します。成長しそうかどうか。成長できるだけの開発体制は整っているか。整っていなければ、優秀な開発者を連れてくることができそうか。これらの「できる・できない」を判断した上で、投資するかどうかの仮説を立てていくのです。

このような仮説を立てた上で、投資対象のベンチャーと接します。すると企業をチェックする目が変わります。正確には、より具体的になります。プロダクトを開発しているチームの状況や、実際にプロダクトが市場に展開されたときに、カスタマーサポートがしっかりとできる体制なのかどうかをこと細かに確認するなど、より具体的な視点で相手を見るようになるからです。

漫然と情報を見てからアクションするのではなく、仮説でよいからなんらかの答えを持って情報に接する。その上で仮説を検証する。このように情報を活用する癖、習慣を日ごろからつけておくことが重要です。

情報の賞味期限は短い

情報は川の流れのようであり、源泉から下流へ、多くの情報が集まっている海へと注がれていると説明しました。この流れは時間と共に進みます。つまり源泉の情報も、時間が経てばそれほど価値がなくなります。多くの人が知っている海に流れ切ってしまっているからです。

源泉から海に流れ込むまでの時間を明確に示すことは、情報の内容によって異なるため難しいですが、おおよその目安は約1カ月と捉えておくといいでしょう。見方を変えれば、重要だと思いチェックしていた源泉であっても、1カ月経っても多くの人に知られていない場合には、価値がなかったと判断することがあります。海に流れ着いても誰からも見向きもされなかったからです。

たとえば、アメリカで人気を博したノンフィクション書籍『BAD BLOOD』（邦題『BAD BLOOD シリコンバレー最大の捏造スキャンダル 全真相』）。嘘のテクノロジーを捏造し、シリコンバレーで拡大していく企業の内情を描いた一冊ですが、アメリカでは２０１８年の5月（日本語版は２０２１年の2月）に発行され、ベストセラーとなりました。

ベンチャー業界では、売上の成長よりも、創業者への着目を優先してしまうケースがあります。夢を語り、結果を出すビジョナリーな経営者なのか、単に多様性が求められている風潮を逆手に取った悪意のある創業者なのか。そうしたケースの見極めが難しい傾向があります。

ベンチャー業界に関わる方であれば、同じ分野でない有名人、専門家が投資しているのは信用の担保にもならないといった知識など、知っておくべきことが詰まっているのです。このような理由から、多くの読者に支持されました。詐欺の裏側を知ることは自分を防御する上でも有益な情報ですし、多くのメディアが続報を出します。

しかし、ある一社のメディアが報道して、他のメディアが追随しない情報はどうでしょうか。その場合は、その一社のメディアが自分に都合のいい思い込みや、攻撃的な報道で競合を有利にさせるために出したり、不安をあおって閲覧数を伸ばすというフェイクニュースだったりするケースが多いのです。

ニュースは必ず、出た後の他のメディアの反応も見なければなりません。1カ月が経ち、ほぼ反応がなければ、その情報は本来ジャーナリズムの精神がある組織ならば大事にする中立的な立場を逸脱したものでしょう。

なにかの情報を見るときは必ずどの程度時間が経っているかを見なければなりません。特に、当事者に直接連絡すれば事が足りるようなことを、わざわざ記事にするケースは、単に誰でも発信者になれるという差別化の難しい時代の中で、媒体が自己の利益を優先しているからです。

問題が解決してしまうと、自分たちの記事の価値がなくなってしまうため、より誇大に見せることが優先されます。総理大臣候補やデジタル庁など、利害関係が多い政治関係者にはよく起こるケースですが、ビジネスでも同様のことが起こります。

　企業に関する情報であれば報道よりも企業自身が出す、決算ならびに有価証券報告書の方をまず見てから、報道を見なければなりません。上場企業が発表した情報は短期に株価に織り込まれるので、鮮度はかなり短いです。しかし、常に織り込まれる度合が正しいとは限りません。他の業界の企業が発表した情報と照らし合わせると、新しい仮説が浮かぶこともあります。もし、その仮説が重要だとして、株価が大きく動いていないとすれば、まだその仮説は株価に織り込まれていない可能性があります。

　そのため、すべての企業でとは言いませんが、特に注目している、関係していそうな企業の情報だけは四半期もしくは半年に一度は確認するようにするといいでしょう。そして、マクロ的な視点で、そのほかの業界の情報も、最低でも業界地図などで1年に一度アップデートしておく。このような定点観測ならびに情報更新を習慣づけておきます。

　ただ、ベンチャーの場合は、プロダクトに関しては開発サイクルが速かったりするためプレスリリースがあるものは即時のチェックが求められます。

　たとえば、注目しているベンチャーが開発しているアプリに新しい機能が追加されたとのプレスリリースが出たら、すぐにダウンロードして確認する必要がありますし、サービスのダウンロードが１００万件を超えたなどの情報も同様です。そういった観点からもプレスリリースを定期的にチェックしておくことが求められます。

ただし、プレスリリースはあくまで企業側が事業を優位に進めようとの意図で発表しているため、バイアスがかかっている情報の可能性が高いですから、疑問に思ったことがあれば、直接確認するアクションが大事です。上場企業のように、記事が出ることも多くはありません。

複数の情報源を確保する

メディアにはそれぞれ得意分野があることを理解しておくことも、情報の価値を見極める上では重要な要素のひとつです。

世界的な経済紙である、ウォール・ストリート・ジャーナル（以下、ＷＳＪ）やフィナンシャル・タイムズ（以下、ＦＴ）であれば、自国の経済情報に関しては価値ある情報を提供していますが、日本の情報に関しては、余程大きなテーマでもなければ、それほど紙面を割かない傾向です。

逆も然りです。日経新聞を読んでいても、ＷＳＪやＦＴに書かれているような現地の深い情報が同じ詳細度で載っていることは、ほぼありません。ＦＴは日経新聞に買収されたため、イギリスの情報も多く入ってくるのではないか、このように考えている人もいるようですが、それほど単純ではありません。

そもそも日本経済新聞社には海外に赴任した経験がある方が一定数いるとはいえ、英語に精通している記者はそれほど多くないでしょう。人材交流はあっても、ＦＴの記者は基本的にはＦＴのままです。

アメリカ経済について深く知りたい場合には、ＷＳＪを、同じく、イギリスの経済について深く知りたい場合にはＦＴを、日本経済について深く知りたい場合は日経新聞を。私たちにとって重要性が高い3国すべての経済情報を知りたい場合には、3紙すべてを購読する必要があります。そしてもちろんＷＳＪやＦＴは英語の原文で読むことで、より真実に近い情報を得ることができます。

加えて、シンガポールの状況など、アジアの情報をより深く知りたいときは、Nikkei Asiaを読むのも良いでしょう。

私の業界ドメインのひとつであるテクノロジーは、海外発の場合が多いですから、それこそ日経新聞を読んでいただけでは、世界の価値ある源泉の情報を遅滞なく見つけることは難しい。そうした理由もあります。

日経新聞は世界からすると地方紙のひとつ

特に年配の方にありがちなのが、とりあえず日経新聞だけ読んでいればビジネスに関する情報は大丈夫、という考え方ですが、そのスタンスでは情報に偏りが生じてしまう可能性があります。株の世界でも、分散投資という観点からデータを見ると日本人は日本企業に投資をし過ぎている「ホームバイアス」という現象があります。日本企業に愛着があるのは良いことなのですが、海外の成長株に投資して、それで儲かった分を日本で消費や投資に回すという方法を取っても良いと思うのです。

そもそも投資をするときに参考にする情報も、日本に偏り過ぎています。身近で入手しやすい情報＝貴重な情報とは限らないのです。国内だけで完結するビジネスをされている方であっても現代のビジネスにおいて、グローバルの動向が関係していない企業は、ほとんどないはずです。もちろん、知っていて当たり前の情報という意味では、他に情報源がない人にとって役に立ちます。

世界では当たり前のトレンドを知っておくためにも、海外の新聞に目を通し、比較し、グローバルのトレンドに準じた経営戦略を設計することが重要です。たとえば、アメリカで業界は違うけれど将来自分の業界を破壊するライバルが誕生しているといった情報に、気づくことが遅れてしまう可能性があります。先述したiPhoneのように、日経新聞が報道した段階では、時すでに遅しというケースです。

大前提として、日経新聞はグローバルでは日本という一地域の地方紙だと捉える感覚が重要です。経済は地方だけでなく、グローバルで連携している。その流れやトレンドを知るためにも、各地方の情報も知っておくべきだ。このような考え方が、特にビジネスに関する価値情報を得る際には重要です。

論調の違いを意識する

複数のメディアから情報を得るのは、内容が違うからという理由だけではありません。各紙により論調が異なっていることも、情報を立体的に捉える上で参考になります。

まずは日経新聞。読者のほとんどが日本の大企業ですし、広告主も日本の大企業であることが多く、記事の扱いもそれに合わせたものが中心です。逆にベンチャーや新しいテクノロジーには懐疑的なトーンがやや見られます。ある意味、保守的な論調です。これはテレビも同じ構図です。

逆にいえば昔から続く大企業の価値観やトレンドを知ることができます。そこから、大企業が抱えている課題を知るきっかけになることもあります。そのためベンチャー経営者には、あえて日経新聞を読んでもらいたいのです。

もしかしたらその課題解決が、ベンチャーのテクノロジーでできるかもしれないのです。特にベンチャー経営者は、ベンチャー経営者同士でのコミュニティに偏っていることが多いため、視野を広げるという観点からも、おすすめします。

一方で海外の新聞を見てみましょう。日本の新聞は事実、ファクトだけを載せるように専念していますが、ＷＳＪやＦＴをあわせて読むことで、その報道姿勢が世界的に見ればすべてではないことが分かります。テーマは同じであっても、海外の新聞はファクトだけを報じるのではなく、同分野の専門家が深く考察した記事などを掲載している場合が多いのです。

論調においては、ＷＳＪ、ＦＴの違いにも注意を払います。異なる場合にはどのような理由や背景があるのかを、自分なりに考察します。執筆者の名前を検索し、過去にどのような着眼点の記事を書いたかを見ます。もしそれが信用できるものでなければその記事の信憑性も危うくなります。ＳＮＳをやっている執筆者も多いので、価値観を覗いてみるのも良いでしょう。それを踏まえた上で、どちらの論調がこれからのグローバルトレンドになり得るのか、自分なりの判断材料になるからです。

ＷＳＪとＦＴを読み比べると分かりますが、実際に論調は異なっています。同じ日のニュースでも、扱いが大きく違っていることも少なくありません。

全体的な感覚としては、ＦＴはいわゆるアメリカの資本主義だけというよりも欧州やアジアも加えた考察が多いです。一方で、イギリスはイノベーションの重要性は分かっているにもかかわらず、アメリカと異なり、画期的なイノベーションを起こすようなテクノロジーやサービスを開発している（できる）、いわゆるＧＡＦＡ的なメガベンチャーが出てきていないことに危機感もあるという傾向を読み解くことができます。

日本のマーケットで売買をしている半数以上は、アメリカなど海外の投資家です。出資元である彼らがどのようなマインドを持ち、日本の企業や製品を何と比べて品定めしているのかは、重要事項です。海外の新聞を読み比べることで、背景を理解することにつながっていくと私は考えています。さらに言えば、そうして得た気づきを、自社の戦略に活かすことだってできる。まさに、グローバルマーケットから支持される会社への成長です。

ところが日本企業の一部はある意味で逆流しているように感じてしまいます。最近多く見られる企業の不正、コーポレートガバナンスの乱れはまさに代表事例で、海外の投資家から見ると、かなりのマイナス材料となっています。そのような海外投資家のマインドや論調に気づいていない日本企業の経営者が多いのです。

大手電機メーカーの株主総会で投資ファンドの提案について政府が介入したと２０２０年に報じられた事件では、海外では厳しい論調になっています。日本だとこれが、安全保障で重要だからという論調も見られますが、ではどの事業は切り離すべきなのかなど具体的な議論になかなか発展しません。日本国内の論調と海外からの視点とが離れてしまい、海外の投資家からすると敬遠してしまう要因になります。

このような状況が長く続けば、海外の投資家がこの先、別のアジア地域などの成長マーケット市場が整備されたところに移り、日本のマーケットから去っていくのではないかと、私は危惧しています。そして私のような感覚を、日本人の経営者ならびに多くのビジネスパーソンが持つべきだとも考えています。

情報にはバイアスがかかっている

繰り返しになりますが、すべての情報には〝バイアス〟がかかっていることを、心得ておかねばなりません。利害関係者など、多くの人によって意図的、もしくは無知によって無意識に歪められてしまうのです。情報バイアスは、情報の流れの下流に行けば行くほど、かかっていきます。人が介在した時点で、良し悪し関係なく、なんらかのバイアスがかかっていると考えるべきです。

バイアスをかける理由は色々とありますが意図的にかけられたバイアスには、騙そうという意思が介在しているので特に気をつけねばなりません。分かりやすいのは、なんらかの利益をその情報を出すことで得られるケースです。たとえば、実際にはそれほど価値のある技術ではないのに、あたかも最新のテクノロジーであり、世界を変えるような技術だと情報発信することで、開発者もしくは企業の価値を向上させようとする企みです。

ほかにも、キャッチーなタイトルを意図的に掲げて記事に誘導する、記事を読み進めていくと知らぬ間に有料のオンラインサロンに誘導されていたなど、挙げれば切りがありません。情報商材を買わされそうになったという詐欺に近いケースも存在します。

メディアは利益を生まなければ継続できない

価値ある情報はそう簡単には手に入りません。社会を変えたいという強い想いがあり、利益抜きで情報発信している。このような発信者を除けば、利益目的以外に発信するメリットは少ないでしょう。発信者の知識にももちろん限界があります。常にその先は自分で勉強しようと心がけた上で接する必要があります。

有名メディアでもこの傾向は見られます。メディア自体がバイアスをかけている場合、記事を書いた記者によるもの、レコメンデーション、ＡＩアルゴリズムによる偏り、などです。

昨今のトレンドワードでもある量子コンピュータについて考えてみましょう。知識を持つ人にとっては、特定分野では既存コンピュータよりも優れている場合もありますが、そうではない場合もあることは常識です。しかし、メディアはそのすごさを紹介したいため、画期的なテクノロジーであることだけにしか触れません。

実は、多くのメディアで取り上げられているような、これまでのコンピュータの性能を大きく凌駕する、スーパーコンピュータのさらに上をいくテクノロジーであるといった情報は誤解を生みます。タイトルも含めて、このようにセンセーショナルな情報は伝わりやすさを優先しており、特定分野における条件つきで、というのが正しい解釈になります。

量子コンピュータを開発している企業からのバイアスなのか、あるいはメディアが単にＰＶを稼ぎたいためなのか、色々なケースが考えられますが。

トレンドワードを活用したバイアスは多く見られます。脱炭素社会もそのひとつでしょうし、ＡＩ、シンギュラリティ、コロナ、ＤＸなど挙げれば切りがありません。いわゆる流行り言葉を出せば、メディアは注目を集められるので必然的に人々が目にする情報は多くなります。こうした情報を得る際には、十分注意する必要があります。

ＡＩによるシンギュラリティも、そもそも日本がＡＩにおいて、米国や中国に置いていかれている状態で他国に議論を呼びかけても、真剣に聞く国がどれだけあるでしょうか。

にもかかわらず、映画などのイメージもあるのでしょうが、ＡＩがこのまま進化すると、いつか人間社会を脅かすのではないかといった不安が生まれる。萎縮することによって、本来できた挑戦ができなくなってしまい、日本企業の技術導入が遅れてしまう。恐怖を煽るような情報で読者を誘導することでＰＶを稼いだり、広告費を増やすことで一部の媒体は儲けても、日本全体としては損をしてしまいます。

昨今問題になっているフェイクニュースなど典型的でしょう。書いている記者、あるいはまともとはいえない媒体は、そもそもその情報が真実ではないことを分かっているのです。にもかかわらず、記事をバズらせたいがために、あえて真実ではないニュースを発信しています。

問題をややこしくするのは、いわゆる情報弱者と呼ばれる人々です。情報リテラシーの低い人たちはそのような情報を真実だと思い込み、他人に拡散してしまいます。もちろん拡散した人は善意の場合もあるのでしょうが、いずれにせよ、嘘の情報が広まっていきます。

記事のタイトルや、書籍の表紙に関してだけは、編集者が決定するという伝統を持つ出版社も少なくありません。何かを情報発信するときに、短期的にリスクを取るのは出版社や媒体だから、という論理のようですが、タイトルと内容が一致していないのに、タイトルだけが一人歩きしてしまうこともあります。インタビューをするだけの記事ならば、いくらでも量産ができ、チェックする時間も十分に与えず、何かクレームがあっても十分な対応をしないことまであるようです。

私は日常的にメディアと接しているわけではないですが、知らずに意見が対立したこともあります。しかし読者にはこのような事情が伝わっていないことも多いでしょう。発信者の主張と媒体の都合は違う場合があるのだと、切り離して考えなければなりません。名前が印字されていても、すべて承認したものであるとは限らないのです。

先程の川のたとえならば、川から海にでるところで、誰かが関与している時点で発信者の都合よりも媒体の都合を優先して、何かしら歪められているものだと期待値を調整した方が、本来の発信者の意図を汲むことができるでしょう。できるならば、発信者と直接コミュニケーションを取ることが、このような歪んだ情報に惑わされないための手段です。以前なら手紙など、多くのコストがかかりましたが、いまであればスマホからメッセージひとつで、コンタクトを取ることができます。

この歪みをゼロにすることはいまのところできておらず、小さいものでも積もり積もれば大きな誤解になります。特に、新型コロナで、直接会うことが少なくなったが故に、誤解を解消する機会が減っています。リモート会議では、なかなかアジェンダ以外の話をしにくく、ちょっと顔を見せるということもしづらく、特に利害関係者が多い組織だと、こまめなコミュニケーションに充てる労力が上がってしまうことがあります。

オンラインという非言語コミュニケーションがしにくい空間では、小さなすれ違いが大きな溝になってしまいかねないのです。私自身も、新型コロナが発生した後、久しぶりに会った友人から、本を読んで、「人が変わったかと思ったが、会ってみたら変わっていなかった」という感想をいただき、こまめに会うことの大切さを確認しました。

この非言語コミュニケーションのデメリットを解決しようと、バーチャル空間でコミュニケーションをするメタバースや、まるで隣にいるように感じられるデバイス「tonari」など、新しい取り組みが出てきていますが、世の中の誤解やすれ違いを防ぐ意味で長期的に取り組む意義のある分野でしょう。

情報バイアスは、今回の新型コロナウイルスの情報発信でも、大きく露呈しました。悪意の有無までは判断しかねますが、バイアスのかかった、意外性や話題性を目標とした情報が多く飛び交っているからです。

コロナ禍のケースを考えてみれば、次亜塩素酸水などいい例でしょう。2020年前半の新型コロナ対策としてアルコールが不足した時期、新型コロナウイルスを消毒する効果があるとの名目で急に注目をあびた液体ですが、従来から消毒で使われているアルコールの方が効果は高いですし、アルコール消毒液があれば、あえて次亜塩素酸水を使う必要はありません。

にもかかわらずテレビやネットメディアで多く取り上げられ、次亜塩素酸水を噴射する機械のようなものまで製作され、メディアに映るようになりました。一見すると、社会課題解決につながりそうな情報のように思えますが、空間噴射が有効であるという研究も確立されていない時期で、科学の知識を持っている人であれば、アルコール消毒の方が有効であることは明白でした。

「消毒したつもり」で、本来アルコール消毒で防げた感染を、結果的には助長していることにつながります。アルコールが不足しているときに、議論をするのはいいのですが、不足状態が解消された後では、議論の価値は少ないでしょう。ただ、作るコストがアルコールに比べて低いため、利益率が高いビジネスをやろうとするなんらかのバイアス、誰かの意図が介在しているのではないかと推察してしまいます。

利益を誘導したいという意味では、同様に、２０２０年に街中で見られた二酸化塩素で「ウイルス空間除菌」ができるという首からぶら下げるカードタイプのものもありました。効果は十分に検証されず、２０２０年5月には消費者庁から5社に行政指導がでました。消費者庁が行政指導をするというのは余程規模が大きい場合であり、それほどの規模ではないが意味のない商品もいまだに多くあります。

また、気をつけないといけないのは、被害は連鎖しやすいということです。このような商品を首からぶら下げているということは、科学的知識がなく、リスクに敏感だと言っているようなものなので、悪質なセールスパーソンであれば、首から下げている人に、別の明確に効果のない健康食品などを売りつけるでしょう。

ワクチンにおいてもメディアの情報を見ていると、明らかに悪意というか、先のフェイクニュースのような、バズりを狙った情報が多く見られます。結論から言えば、同分野の専門家が発言しているように、ワクチンを打った方が致死率は確実に下がります。にもかかわらず、たまたまワクチン接種後に亡くなった方を、センセーショナルに、あたかもワクチンの副反応により死亡したように情報を発信しているケースがあまりにも多く見受けられます。

このような情報が一部の人に大きな影響を与え、ワクチンを打てるのに打たず、重症化しているケースも見られます。このケースはきちんとデータを取って検証すれば論文になる可能性もあると思いますが、データをまだとらない段階での原始的な仮説としては、「なんでも自然が一番」と短絡的に勘違いしている人に多く見られる傾向ではないでしょうか。

「多数の動きとは別のことをしようとするこだわりを持ちやすい」あるいは「少数の人の意見に耳を傾け過ぎる程に感受性が高い」ことが、悪い方向につながっているという場合もあります。後者は幅広く意見を取り入れてしまうため、フェイクニュース（陰謀論なども含む）なども等しく聞いてしまうことが要因になります。先述のとおりきちんとした検索エンジンやメールフィルターがなければ、ネットやメール受信箱はスパムで約9割埋め尽くされるように、単純に量で判断すると、悪質な情報が多くなってしまいます。陰謀論はUFOに近く、エビデンスそのものがなく完全な否定ができないのが厄介で、メリット・デメリットで判断しなければなりません。

悲しいかな、そういう主張を真に受けて、重症化し、亡くなってしまうケースは、有名人ではない限りなかなか報道もされません。ワクチンを打っておけばよかった、という後悔は世間にはなかなか伝わらず静かに亡くなってしまい、本来ならば回避できるような惨劇が繰り返されてしまうのです。

もしこれが感染症でなければ、自己責任で片付けられますが、まわりの人にも感染させるリスクがあるために放っておくことはできません。一番厄介なのが、自分が大切に思っている人が間違った情報に接することで、まるで人が変わったように、その情報を信じこみ、なかなか説得できなくなるケースです。

私の直接の友人にも事例があります。身近過ぎると、喧嘩になることを恐れて、なかなか説得ができません。医者や、第三者からの説得を試みたり、接種しないことのデメリットを示したりするしかありません。その裏では、反ワクチンという過激な主張で、目立とう、儲けようという少数の人が活動してしまいます。

アメリカでは、反ワクチンに関するデマの65%は、たった12人から派生しているとホワイトハウスのサキ報道官が２０２１年７月にコメントしています。12人のなかには、市民の投稿を鵜呑みにして情報を発信するようになった人物や、ＳＮＳでフォロワーを増やして健康グッズなどを販売して数十億円を稼いでいるとされる人物がいます。

もしメディアや、出版社、書店に財務的な余裕があれば、社会的な意義としてデマは扱わないはずですが、伝統的な業界ほど利益が少なくなってきてしまい、そういったものに手を出してしまっています。皮肉なことに、フェイスブックなど、オンラインで利益率が高い方が、「ワクチンに関するリソースについては、新型コロナウイルス感染症情報センターをご覧ください」という表示を出しています。

もちろん、ＳＮＳはデマを拡散しやすい環境であり、バイデン大統領はのちに撤回したものの、「ＳＮＳが人を殺している」と強く非難もしました。フェイスブックの特定のユーザーをエリートステータスとして、利用規約を破っても特別扱いをする「クロスチェック（XCheck）」といわれるシステムについて２０２１年９月に報道されるなど、対策は十分ではありません。ですが、書店や、ネットメディアに対しては、同様の対策をしているものがほとんどないことに、大きなギャップがあります。

デマは、断言し、歯切れがよいので聞いていて気持ちが良いものも多いですが、それと正しさは別問題です。本来なら正しい情報を歯切れよく伝える人が、より必要とされているのでしょう。

署名記事かどうか確認する

アメリカでもフェイクニュースはありますし、メディアにもバイアスはかかっています。ただ日本とは情報に対する扱いが違うと感じています。たとえば、これはあまりにも有名な話ですが、トランプ前大統領は意図的にフェイクニュースを発信していました。けれども多くの人が、フェイクニュースだと思って接しています。そして、ここからが重要ですが、メディアはトランプ前大統領本人がこのような発言をしていたが、これは嘘であるというファクトチェックの記事を署名付きでも掲載します。

　一方、日本のフェイクニュースの場合は、クレジットが記載されていることは少ないです。情報の裏付けに自信がないというケースもありますし、悪質な場合には間違っていることを分かった上で責任を取りたくないから、署名を載せないものもあるでしょう。

　もうひとつ海外のメディアと異なることがあります。これは先ほども述べましたが、日本のメディアは、単に事実を発信している傾向にあるのです。そのためクレジットをあえてつける必要がない、と考えてしまいがちです。

　アメリカのメディアの場合は、取材で得た情報を基に、記者やメディアがその後の展開を、自らのインサイトとして紹介していることが多いです。そのため署名記事である場合が大半です。記者が取材で得た情報も、記者のインサイトによる情報も、自らの仮説を立てる上で有力な要素となります。

　日本でも署名記事を出しているメディアもありますが、名前だけで、アメリカと比べると記者の経歴や属性が、明確には分からないケースも多いようです。しかも署名があっても、インサイトは書かれておらず、ただファクトを紹介しているだけの場合も多いと感じています。

記者の各業界の知識、理解が最前線の変化になかなか追いつきにくくなっているのもクレジットが少ない理由のひとつではないでしょうか。特に、日本の大手メディアは社内異動により各業界を数年ごとに行き来する場合がほとんどですから、広く浅くといった意味ではよいですが、専門的な深い知識が求められ、直近の激変する環境に関する記事についてはどうしても苦手になってしまう傾向にあります。新聞社を跨いで特定分野を長年にわたり取材している記者が本来は求められます。

日本のメディアや体制を批判しているわけではありませんが、対照的に海外のメディア、ＷＳＪなどでは、ヘルスケア領域一本で取材を何十年と続けている記者が当たり前にいます。

ＷＳＪであれば、特定テーマで担当者が変わらずに、ずっとその記者が署名記事で書いていることが多く、記事に間違った情報があった場合、記者がペナルティを受けるシステムもあります。記事の正確性を担保しようという自浄作用が働く仕組みができているのです。

このような体制が整っているからこそ堂々とクレジットを出せるし、読者も信頼できる記事として読むことができます。テレビの解説員も、名前こそ明らかであっても日本では同じ状況と言えるでしょう。

たとえば次のようなことがありました。大手新聞メディアの記者から、投資についての取材を受けました。インタビューを受けていて何となくは感じていましたが、その記者は担当業界が変わりたてなのか、業界に関する知識が乏しいことが伝わってきます。

実際、記事を読むと、伝えたかったことが正確には書かれていませんでした。危惧すべきことは、記者の思い込みで、きちんと裏取りをせず書いてしまうケースがあることです。特に担当業界が変わりたてのころにそうしたミスは多いでしょう。署名記事ではないので、その人自身が咎められることもなく、坦々と誤情報は流れていきます。

かなり極端なことを言いますが、小学生に算数のことを話しても、掛け算と足し算レベルの話しかできません。微分・積分の話をしても、多くの場合はなにも分からないでしょう。

専門家への取材とは、そういうことなのです。担当外の記者や知識の乏しい記者が取材をするのは、酷だと言えます。特に、テクノロジーに関する内容は専門的ですし、日々、進歩していますから、それこそ分からない言葉も度々登場します。これまでの業界区分だけでなく各新興分野で専門の記者を立て、深く入り込んだ取材をする必要があるのです。日本のメディアは現状、それができているとは言えないのではないでしょうか。結果としてメディアの記事は、取材先を知るためのきっかけにしかなり得ない、という状況になっています。よいことだとは言えません。

記者の専門分野やバックグラウンドを調べる

メディアから情報を得る際には、分野、テーマごとにそれらに精通した記者をピックアップしておく。そのような信頼できる記者から情報を得ることが、まずは重要になってきます。記者の評判は、インタビューを受けた複数の人からの情報にあたるなどして、偏りを減らして把握をするのが理想です。

これは、論文でも同じことが言えて、論文の場合は記者ではなく、執筆者です。どのようなバックグラウンドを持っているか、専門は何なのか。属性をしっかりと確認しておくことが大切です。

専門家や企業の話を聞いて記者が書いた記事を読む際は、取材を受ける側のアカデミックな学位はもちろん、どのようなキャリアを積んでいるのかも見ておくとよいでしょう。

そして、もうひとつ重要なのが、取材対象者との関係性です。利害関係があったり、逆にライバル関係にある間柄では、なんらかのバイアスが生まれることが考えられるからです。実際、優れた記事を書いている記者を検索してみると、バックグラウンドが充実している方が大半です。気になる記事があった。けれども内容が真実かどうか不明瞭だった。そのような場合は本人や関係者に直接連絡を取り確認するのがベストです。ただその前に、ネットで記者のバックグラウンドを検索するだけでも、ある程度、情報の価値は担保されると私は思っています。

いわゆる「編集部」というクレジットで書かれている記事は、不明瞭な点が多くなります。

また、ファクトを基にした考察を記述できるかどうかも記者の力量が問われます。考えを発信できるということは、時間軸でも業界軸でも、マクロな視点や知識をバランスよく使えるなら、そのような記者からの情報は信頼性が高いと言えます。

できればひとつのテーマで複数の信頼できる記者を見つけておきましょう。ただし情報の取得や見極めで大切なのは、懇意にしている記者が発言している内容だから信じるといった盲目的な姿勢にならないことです。

一方で、専門分野に精通している記者だからこそ、違う意味でバイアスがかかっているケースがたまにあるので、この点は注意が必要です。思い込みです。

たとえば、ロケットの専門家に、ロケットが好きな記者が話を聞きに行ったとします。お互いにロケットに関して詳し過ぎる、好き過ぎる、そのためにまわりが見えない。結果、ロケットは万能だと信奉しているから、実は他の技術で代替した方がよい事象についてもロケットで解決しようとしてしまう。たとえば運搬を考えた場合、ロケットを使うよりもドローンの方が効率がよいケースであっても、その発想は扱われにくくなります。

このような自分の精通する技術や分野が万能だと錯覚してしまう傾向は、誰にでも該当します。

私の場合はテクノロジーが進歩すれば、世の中の課題の多くが解決につながる可能性があると考えています。ただ、私は評論家ではなく、もしその予想が間違っていれば、投資の損失にもなります。ですので私が発信側に立つ場合は夢物語ではなく、なるべく客観的に、現実的な視点で伝えるように心がけています。

専門家の注意点

新型コロナウイルスに関する情報は、トレンドワードの中でも、ずば抜けて人々の関心を集めやすい内容です。だからこそ逆にデマも含め、真実とは異なる情報が飛び交いやすい傾向にあります。悪い意味での相乗効果が、特に社会的にインパクトの大きいキーワードに関する情報の場合は多いと、理解しておく必要があります。背景には、情報の加工を行った人や組織になんらかの利益誘導の意図がある。そこまで考えて、接しなければいけません。

ここでも、情報の流れを川から海でイメージすると分かりやすいです。真実は間違いなくひとつであり、出どころは源泉です。その源泉（真実）から目の前にあるバイアスがかかった内容となるまで、どのような経路で流れてきたのか。目先のスナップショット的にまとめられた情報だけに着目するのではなく、時間的な流れも含めた、マクロな視点で捉えるのです。

たとえばトレンドワードのひとつであるＡＩ。同分野に詳しい方であれば既知の事柄ですが、これまでに何度も流行ったワードならびにテクノロジーです。具体的には今回のトレンドは3回目ですが、前の2回とは何が違うのかを知る必要があります。一度落ち着いた状況が、再び盛り上がっているので前回とは違う進展があるはずなのです。こうした背景に着目していくと、今回は、ディープラーニングやデータを保存、加工するクラウドが画期的な発達を遂げたためにいまの状況が生まれたことが分かります。「なぜいま重要なのか？」という過去との差分を考えることによって、情報の源泉をより効率よく導き出すことができます。

　ここで特に気をつけなければいけないのが、専門家と呼ばれる人たちです。専門家なのだから、発している情報は間違いない。価値ある情報だと思いがちですが、実はそうでないケースも少なくありません。残念ながら東大やスタンフォード大学を卒業していて、全国で有名な方でも、非科学的なものを信じ込んでしまうケースもあるほどです。重要なのは、その人が常に新しい知識を偏りなく得ようとしているか、騙そうとする人にひっかかっていないかを確認することでしょう。学歴や、博士号などではなく、その人の語る論理構成や、情報発信の意義が承認欲求によるものではなく、社会にとって大義であるかどうかを見る必要があります。

　新型コロナウイルスに関する報道が参考になります。新型コロナウイルスについては、多くのデマはもちろん、〇〇専門家といった方々が、突然降って湧いたように出てきました。ネットメディアに限らず、テレビや他のメディアでも共通しますが、そもそも新型コロナウイルスの専門家で、本当に世の中から必要とされている方であれば、視聴者に行動を呼びかける場面は別として、専門性と直接関係ないワイドショーに過剰に出演したりする時間はないはずです。

本来、価値ある情報や専門的な事柄は多くの人が知りません。何かしら社会的か、金銭的に意義がなければそれを広める努力をする人も少ないはずです。なぜなら揚げ足取りや、同じ専門性を持つ人からの嫉妬などでデメリットも伴うからです。一方で、今回の新型コロナウイルスのように、社会を脅かすウイルスから人々を守るという社会意識が働く場合には、私利私欲よりも正しい情報を広めなければいけないという志を持つ人の存在のおかげで、価値ある情報が手に入りやすくなっている側面もあります。しかし、逆にこの状況を利用しようとする人間が少数ですがいることは念頭に置かねばなりません。

そのため一人でも多くの人に新型コロナウイルスの正しい、最新の情報を届けたいとの強い想いがあっての情報発信かどうかを見極める必要があります。そのような方の発信はメディアに限らず、文章や会話のトーンから、想いが伝わってきます。自分主体ではなく、なんとか一人でも多くの人にメッセージを届けて助けたい、世界に貢献したい。言葉一つひとつからひしひしと伝わってくるからです。精神論のように聞こえるかもしれませんが、何よりもこうした大義がある志の部分を感じ取れるかどうかが大切なのです。

私も新型コロナウイルスに関する情報は国内外の多くの公的機関やメディアから収集していますが、ブログで粛々と考察を伝えている、沖縄などのある地方医師がSNSで出している情報の方にとても価値があり、社会貢献の意識だけで情報発信をしていることがよく分かります。

そしてそのような真の価値ある、最新の情報をキャッチアップしている本物の専門家の方々は、現場の最前線で懸命に働いています。その一方で、毎日のようにワイドショーに登場する謎の専門家もいる。そこを意識的に分けなければなりません。メディアとの接触を受動的に行い、量だけで考えると多くがこういった謎の専門家の発信に触れることになります。その中で、数は少ないけれども、きらりと光る、社会のために発信している人の知見を、自分で能動的に検索したり、見抜かなければならないのです。

また、情報を正しく解釈する能力を持つ人は意外と多くはありません。人の発信は、専門性だけでなく、そういった見抜く知恵を持っているかどうかという基準でも重要です。特に政治家や企業の経営陣などは、その知恵が求められる代表的な職業です。

データサイエンスで情報を分析する

膨大な情報の中から真に価値ある情報を見極めるためには、データサイエンスの基礎知識が必要です。データの見方を分かっていなければ、何が言えて、何が言えないのか、という区別をすることができませんし、間違った解釈になってしまう危険性があるからです。

本書で紹介するのは、母集団とサンプルの関係によるバイアス、相関関係があっても因果関係とは言えないパターンなどです。このあたりのテーマについて勉強や意識をするだけで、情報との付き合い方が劇的に向上します。

複数の人やメディアから情報を得ることが重要だと紹介しました。まず、ある事象に関して世に出ているすべての情報を、母集団としましょう。たとえば、ある情報に関して記述したニュースが１０００あったとして、これが母集団です。そして、１０００すべての情報に目を通すのは時間的に厳しいですから、サンプルを選ぶ（サンプリング）という作業が必要になります。１０００の情報の中から、１００や10ほどに絞る。サンプリングを行う際は可能な限りランダムに、意見が偏っていない情報元を抽出することが重要です。

サンプリングがうまくできていないと、選んだ情報に偏りが生じてサンプルが母集団を正しく反映できていないことになります。これをサンプリングバイアスといいます。複数のメディアからではなく、ひとつのメディアからのみ情報を得ている場合も、全体をバランスよく反映していないということになりがちです。

サンプリングバイアスを防ぐには、メディアであれば、できれば複数媒体から情報を抽出する。新聞で言えば、先に紹介したように日経新聞、WSJ、FTといった具合です。人からの情報でも同じです。

新型コロナウイルスに関する専門家による意見であれば、最低でも信頼できる3人以上の専門家から話を聞くと、より偏りが少なくなる可能性があります。

病院で診断を受けたけれど、どうにも納得いかない。あるいは不安で、別の病院でも診断を受ける。これは医療の世界ではセカンドオピニオンとされていますが、ビジネスや報道の現場でも有効です。ただ、利害関係がある人の意見を聞くと、自己の利益を最大化させようとして、客観的な意見になっていない場合があるので、そこは割り引き、利害関係のない人の意見も聞かなければなりません。

報道では中立的でなければならないというのは当たり前のことですが、たまにプロと言われる人であっても、利害関係者の意見ばかりを聞いてしまい報道が偏る場合があります。そして、自身ではそのことに気づいていないのです。意見を聞きやすい人だけから話を聞いていると、知らない間にバイアスがかかってしまいます。ですので、ふだんから信頼できる幅広い知り合いの力を借りてひとつの事象をチェックする、ダブル・トリプルチェックの体制を意識的に整えなければなりません。

サンプリングバイアスを回避する

内容により、サンプリング数やサンプリングの種類を調整する必要があります。分かりやすく説明するために、サイコロの目で考えてみましょう。1〜6の目が出る確率は6分の1ですが、10回サイコロを振った程度ではたまたま特定の数字が3回連続で出たりすることがあります。つまり無限大の試行が可能な母集団の中からごく限られた数しかサンプリングを行わない場合には、偏った答えが得られてしまう可能性が高いことがお分かりいただけると思います。実際、サイコロであれば１００回以上などある程度多く試行回数を重ねることで、正しい6分の1という確率に近づきます。

全国の小学生の学力を調べたいと考えた際のバイアスも紹介します。このときに特定の学校の児童のみをサンプリングしてしまうと、母集団となる全国の小学生の傾向を正しく反映することはできません。その学校は特別学力が高かったり低かったりする可能性があるからです。

こうしたサンプリングバイアスは実は私たちの日常でも見られます。仕事で提携をする企業の情報を知る際のサンプリングを例に挙げましょう。たまたま会った企業の担当者が、どうもしっくりこなかった。だからといってその企業が自社と合わない、とは本来言えません。他にもっと自社と合う人が、優秀でたまたま別のプロジェクトに駆り出されている場合もあります。多くの人に、覚えがあるのではないでしょうか。

少なくとも10人。特定部署に限らず、さまざまな部署やポジションの人と会うことで、企業全体の特徴が分かってきます。本来はサンプリングというよりも、このような考えも統計学を学ぶことで身につくのです。

おすすめの書籍も紹介します。知人でもある西内啓氏が書いた『統計学が最強の学問である』や、中室牧子氏、津川友介氏による『「原因と結果」の経済学』です。統計学はサイエンスだけでなく、実生活にも活用できることを解説する内容になっています。

「交絡因子」を意識する

データの収集ならびに活用では、「交絡因子」を意識することも重要です。交絡とは、なんらかのデータがあったときに、その因果関係の判断を迷わせる要因で、一見すると因果関係がありそうに思えるけれども、実はそうではない情報（因子）を指します。

具体的なビジネス事例を想定してみましょう。あるウィスキーメーカーのマーケティング部署が、売上に関するデータを収集・分析していました。スマホユーザー向けの広告を出していると、カメラの性能が高い機種を持つ人が、ウィスキーを炭酸で割ったハイボールを、よく飲んでいることが分かりました。

このデータを参考にして、写真好きな人はハイボールを特に好むと決めつけてしまい、コロナ禍で、ハイボールの写真を撮影するとプレゼントがもらえるというキャンペーンに予算を重点的に振り分けます。ところが、あまり成果は上がりませんでした。これは交絡因子を意識していないために起こり得る、誤解の例です。

ハイボールを性能の良いカメラを持つ層がよく飲んでいた本当の理由は、年収が高い人がハイボールを好む傾向にあったからという可能性もあります。スマホを選ぶ際に値段を気にせずに iPhone の最上位の機種を選んだところ、たまたまカメラの性能が良かったのかもしれません。カメラの性能がハイボールの売上を上げる直接的な要因ではなかった場合、カメラの性能は交絡因子になり得ます。このままカメラの性能とハイボールの売上にこだわってしまっては、後に赤字を生むことにつながりかねません。

働き方改革の成果においても、交絡因子を意識していない企業の情報分析や発表が少なくありません。フレックスにしたら業績が上がった、自宅でのリモートワークにしたら、業務効率が20％アップした、などです。しかもそれを堂々とリリースとして発表してしまうこともあります。

表面だけを見ると、因果関係がありそうですが、実際は上司からの圧力がものすごく、その上司と会う機会が減ったことで伸び伸びと仕事ができた。その結果、業務効率が上がったという可能性も、十分に考えられます。つまりそのケースならば改善すべき施策は働き方ではなく、上司のパワハラをなくすことだった、ということになります。

交絡因子に惑わされないためには、データの変動要因をしっかりと確認すること、さまざまな結果、パターンに触れることを意識しましょう。ウィスキーの売上原因であれば、季節、広告、売り方など。さまざまなパラメータから得られるデータを分析することで、何が売上アップに貢献した価値ある情報であるかが、見えてくる場合が多いのです。

データの収集・分析を続けていくと、次第にこれが交絡因子である、逆に、こちらのデータや情報が売上に直結する価値ある情報であるということが、直感的に分かってきます。ぜひとも、情報に触れるときには交絡因子を意識してください。

仮説を立てるのと同じ感覚です。何も準備していない、勉強もしていない、意識もしていない、といった状態で情報に当たるのと、準備、勉強をした上で当たるのとでは、まったく得られる情報の質が変わります。

遅行指標なのか先行指標なのか

情報が遅行指標なのか、先行指標なのか。これも情報を得る、見極める際には意識しておくべき要素のひとつです。先行指標とは、たとえば景気についてならば、景気動向について先んじて反応する指標で、将来の景気や企業業績の判断材料となります。遅行指標は、その逆で、景気動向指数の動きを追うように反応する指標なので、景気や企業業績が本当に変化しているのかの見極めに利用できます。

投資や経営戦略といった施策の判断材料には遅行指標ではなく、先行指標を見る必要があります。

たとえば、ニュースでよく耳にすることも多い、アメリカで毎週発表される、新規失業保険申請件数。同指標はこれからの景気動向を示す先行指標だとみなされており、アメリカでは同指標を参考に、投資をしたりといった判断をくだすことがあります。

一方で、ある企業や個人が何か栄誉のある賞を受賞したといった情報などは、遅行指標と言えます。これまでの研究成果を表彰する意味合いだからです。たとえば、グーグルの創業者らが設立したブレイクスルー賞の数学部門を、京都大学の望月拓郎教授が日本人で初めて受賞したという情報がありました。日本では大きな話題にはなりませんでしたが、そこから日本の強みを確認することができます。

同様に、ノーベル賞などは20年以上前の実績を評価するものもあります。その受賞者が受けた教育というのは、それより更に前のものでしょう。そうすると、いま、受賞者が出たからといって、いまの教育で30年後の受賞者が同国から多く出るとは限りません。日本企業の技術開発は１９８０年ごろには世界的に評価されており、いまも日本の中ではそう思っている人もいるかもしれません。ですが、現状の新技術の動向を見る限りは、日本では比較的無名である米国などのベンチャーが先を行っていることがよくあります。「知名度」自体が遅行指標であり、それだけを基に意思決定をすることはあまりにも危険なのです。

このように、目の前の情報が遅行指標なのか、それとも先行指標なのかは意識しなければなりません。おそらくは多くのケースで、特にビジネスの現場では先行指標が重要になってきますが、情報にはこのような側面もあることを頭に置いておくことでも、より適切に情報を見極めるきっかけになると思います。

第3章 メディアを活用して価値ある情報を見つける

歯を磨くように情報を得る

第1章ならびに第2章では、価値ある情報は情報の発信元である源泉にある、と紹介しました。源泉とは人であることも、繰り返し強調してきました。そのためメディアは、源泉がどこにあるかを考え、アクセスするための手段、きっかけに活用するものだと見なせます。

では実際、私は各メディアでどのように情報を吟味しているのか。改めて、各メディアの特徴も含め、具体的に紹介していきます。

大前提として、いつ、どのような媒体で見ているのか。こちらにおいてはほぼ共通していますので、最初に述べます。

基本的には、情報を見るための時間をあえて設けるようなことはほとんどありません。メディアを利用するのは、なるべく隙間時間と決めています。タクシーや電車、エレベーターやエスカレーターなどでの移動中、会議の合間などです。

どうしても何かの判断に通常よりも多くの情報を得たい場合もありますので、そういった場合には睡眠時間を削って捻出したり、週末にまとめて時間を設けたり、ということもなくはありません。ですがそれは稀です。

基本は必ず毎日、歯を磨くように情報を取得する。特に意識はしていませんが、情報に触れることを習慣化することが大事だと思います。そして、できればその情報にどのような意味があったのか、時系列で追うこともセットにするべきでしょう。そうすることによって、情報が意図的に歪められているのか、価値があるのかどうかを見極める習慣ができます。

メディアに触れる媒体は、Kindle（キンドル）やスマートフォンといったデバイスが主ですが、ビジネス誌や書籍などリアルな媒体から情報を得る場合もあります。電子かリアルかに関しては、各人やその時々で読みやすい、扱いやすい方で構わないと思いますし、私も特にこだわってはいません。

ただし検索などができるデジタルの書籍や雑誌の方が情報を得るのは速いと感じています。一方で、眺めるような業界地図は電子版ではなく、従来の紙版の方が活用しやすいというケースもあります。

俯瞰的な視点で新聞を読む

新聞はスマートフォン、タブレット、パソコンなどで閲覧できる電子版を、スマートフォンやキンドルなどのタブレット端末で読んでいます。事前に何か準備するようなことはせず、夕刊はあまり読みません。メディアがこの情報に価値があると判断した内容であれば、夕刊だけの取り扱いで終わらないはずですし、オンラインのアプリの方でプッシュ通知をするだろうと考えるからです。もちろん、夕刊が出るタイミングでちょうど新しい情報が入ってきたというケースもありますが。

メディアを横断的に見るという点では、具体的には、日経新聞、WSJ、FT。この3紙はビジネスの観点からなるべく目を通します。日経新聞だけでなく、朝日新聞、読売新聞、産経新聞など国内の新聞はすべて毎朝読むことを習慣づけている人もいらっしゃいますが、それは専門性によるところが大きいと思います。政治などの投資以外の専門性を追求するならば、すべてに目を通すのは理にかなっているでしょう。

まったく意味がないとは言いませんし、尊敬する経営者の中ですすめている方もいます。

ですが、特に時間が限られている方であれば、似たような内容の国内メディアを読むことに時間を使うよりも、海外の情報に触れた方が、学びがあると思います。もちろん時間に余裕がある人は、日本の全紙を読んでもいいでしょう。

隅から隅まで読むような情報収集もしていません。まずは見出しにどのような情報が載っているのか、３紙を俯瞰して見ていきます。ここでも時間に余裕がある人であれば、最初から最後まで、すべての内容に目を通しても構わないでしょう。

俯瞰的にタイトルを見る際には、自分の業界に関連する箇所に着目します。私の場合は、経営、テクノロジーですので、それ以外の情報などは目を通さないことも多いです。

準備はしないと説明しましたが、家やオフィスでゆっくりと読む状況にある場合は、業界地図を手元に置いておくことが多いです。特に海外の新聞を読んでいると、それほど詳しくない企業が取り上げられるケースがしばしば出てきます。東洋経済新報社の業界地図をおすすめした理由は、海外企業までしっかりと網羅しているのも理由で、中には、海外の企業をあまり取り上げていない業界地図もあります。テクノロジーの世界では、日本の中で、サプライチェーンが完結することはまずありません。常に、海外の動向も同時に見ておかなければ、２０２１年ごろに起こった車やスマホ、ゲーム機、データセンターなど、業界に関係なく起きた半導体の供給不足などの様子を把握することはできないでしょう。

グローバルと日本のトレンドの違いを意識する

私は学生のころから、先述した3紙をなるべく読んでいます。最初は日経新聞とＷＳＪの2紙でした。ニューヨークに行くようになってからは、ＦＴも読むようになりました。いきなり海外の媒体を2紙読むのが厳しいと感じた方は、まずは日経新聞に加えＷＳＪ1紙だけでもいいと思います。ＷＳＪであれば日本語版も展開していますが、できれば英語の原文を読んでもらいたいです。ただ、最初の取っ掛かりとしては日本語版でもよいでしょう。論調の違いは感じられるはずです。

また、海外に駐在している日本のビジネスパーソンは、どのような新聞を読むべきか。3紙を比較すれば、現在駐在している場所に関係なく、バランスよく情報を得ることができると思います。

バランスよく3紙を読むのは、先述したように論調の違いを確認するためでもありますが、自分が駐在している場所では大きく取り上げられているニュースが、日本ではほとんど取り上げられてないケースが少なくないことも理由です。そうすると、せっかく重要な情報を日本の本社に伝えても、自身が想定しているほどの危機感をもって情報を受け取ってもらえず、全社としての対応が遅れてしまうということにつながりかねません。

たとえばＷＳＪとＦＴでは一面で大きく取り上げているのに、日経新聞ではほんの小さな囲みでしか取り上げられていない。いままさに海外に駐在しているビジネスパーソンであれば、強く感じている方もいることだと思います。

逆も然りですし、ＷＳＪ、ＦＴどちらか１紙だけで大きく取り上げられているニュースもあります。そのような場合は、なんらかのバイアスがかかっているのだろうとの仮説を立ててから、情報に接します。

ただ、多くの場合は日本の新聞だけ、グローバルのものと比べて、取り上げるテーマが違っているでしょう。日本の新聞は、現在の購読者の偏りもあり、とにかく国内でも日本の大企業の情報を取り上げたがる傾向にあるからです。

そのため、すでに海外では数年前にトレンドであった技術が、まるで最新技術のように、関連企業と共に紹介されていたりします。イーロン・マスク氏が取り組んでいる、脳波から直接情報を得ようとする技術、ブレイン・マシン・インタフェース（ＢＭＩ）などもそうです。このような傾向はテクノロジーに限らず、他の業界でも見られます。

別の場合もあります。海外ではあまり主要なものとして取り上げられていない技術を、あたかもこれから社会を変える最新の技術として、関連企業と共に紹介するのです。特に「〜テック」と題したものは、必ず世界の動向もあわせて確認してください。多くのものが、それ自体はテクノロジーではなく、単にその業界で新しい流れを起こしたいというマーケティングの意味合いが強いからです。

もし、その技術が海外でもほとんど主要なものとして取り上げられていなければ、国を超えて発達し続けるテクノロジーの大きな潮流から外れたものに、時間を費やしてしまうことになってしまいます。希少性や独創性を重視するアートならばよいのですが、世の中に浸透することによって意味のあるビジネスに関連する技術においては、誤った判断につながりかねません。長年テクノロジー領域でビジネスをしていますが、近年、特定の日本企業が単体で開発した技術で、世界を驚かすような技術に発展したものをほとんど見たことがありません。アートとビジネスは分けて考えるべきですが、日本ではここを混同しているケースが多いのです。

グローバルではあまり取り上げられていないスマートシティのコンセプトや、そもそも海外では本流になっていないＩｏＴ関連のニュースなどを見ていると、なにかポイントを外しているところに時間とお金をかけているように感じてしまいます。日本にはいま、その余裕はないはずです。

あまり知られていないおすすめの媒体

業界、職種によっては紹介した3紙以外にも目を通しておくべき媒体がありますので、紹介しておきます。まずは金融業界で働く、いわゆる市場関係者です。すでに読まれている方も多いと思いますが、『Bloomberg Professional Services』。月額約20万円ほどの料金で、市場に関する深い情報をいち早く読むことができます。ある程度、時間がたった後に一般向けにもニュースは公開します。

私は以前、金融業界で働いていたことがあるため、当時は同メディアを購読していました。ただし、基本的には上場企業に関する深いマーケット情報ですので、市場関係者以外は特に読む必要はないでしょう。実際、私も現在は未上場のベンチャー投資がメインですので、正直、あまり前のめりで読むようなことはありません。マーケット関係者で、時間にもお金にも余裕がある方であれば、といったものです。

もし読者が一般的な投資家ならば、重要なのは、常に一般に公開されていない機関投資家向けの情報網が存在していることを意識することです。よく、上場株について、決算の解説などをするものもありますが、機関投資家は基本的に証券会社のアナリストや各業界通が提供する分析やレポートを読んで行動しているので、よく読み比べて行動しなければ、なぜ売買のきっかけになっているかを把握することは難しいでしょう。

ベンチャーの情報を得たいと考えている方には、日経産業新聞をおすすめします。グローバルという観点では情報は乏しいですが、日経新聞ではなかなか扱われない、けれども今後成長するかもしれない、ユニークで興味深い研究開発やビジネスを手がけている企業を、紹介してくれます。

ただおそらく、ここでも記者の知識に左右されてしまいます。記事の内容が主観に偏り過ぎていたり、技術的に本当に重要かどうかが不明瞭な記事が掲載されていることもあります。ただ、そのような点を差し引いても、いままで知らなかったベンチャーを知ることができる、という点では大きいですし、参考になる部分が多くあります。

また、海外でも日経産業新聞と似たような、ベンチャーについて深く取り上げているメディアがあります。そのうちのひとつは『CB Insights』や『テッククランチ』でしょう。独自のデータベースを持ち、米国のスタートアップ等の調査に特化しているので、比較的早く動向をつかむことができます。

新聞は最も頼りになるメディアなのか

「新聞からの情報だから正しい」

２０２１年に総務省が発表した「令和2年度 情報通信メディアの利用時間と情報行動に関する調査報告書」では、日本人が最も信頼を置いているメディアが新聞だという結果が出ています。

新聞の情報は記者もしっかりしているので絶対である。間違いはない。このように考えている人がいるようですが、そのようなことはあり得ません。当然、バイアスもかかっていますし、誤報の可能性もあるからです。

新聞からの情報でも、あくまで情報はその後の判断を行うための材料であり、内容をそのまま鵜呑みにして、判断やアクションをすることは、リスクを含みます。

また逆に、「これは間違っているじゃないか、意図的な偏向報道ではないか」と読者に思わせるための記事も、なくはないからです。特に、利害関係者の多い出来事が、あるタイミングに出てくる記事があります。この記事を流すことによって、誰が得をするのだろうかとよく考えなければなりません。

繰り返しになりますが、ベストは直接、情報の源に自らアクセスすることです。情報源の人との関係が良好ならば、「角が立つので他の人には言えないけど、実はまったく違った事態だった」と明かしてくれることもあるでしょう。良好でなければ、もしかしたら自分からの問い合わせが単に情報を横流しする可能性があると判断されるので、教えてはくれません。

ビジネス誌で知識を深化する

ビジネス誌を新聞のように毎日、定期的に読むことはしていません。気になるテーマが取り上げられている記事や、特集などがあれば読むようにしています。私の場合は主にテクノロジー関連のものが多いですが、それ以外でも興味を引かれれば読むこともあります。

まずは立ち読みをして、先の新聞と同じように俯瞰的に目次などを読み、気になる情報がないかをチェックします。その上でじっくりと読みたいと思ったら購入する、といった流れです。

具体的なメディアとしては、『週刊東洋経済』と『日経ビジネス』の2誌が多いです。一般に週刊誌には部数を稼ぐために経済、ビジネスとは関係ないゴシップ記事が多く、２誌に絞っています。

書店や駅の売店で買うこともありますが、ＮＴＴドコモが提供している「ｄマガジン」というサービスで、電子版を読むこともあります。同サービスは月額４４０円で雑誌の大まかな内容を見ることができるので、同サービスで見つけたテクノロジーに関する気になるビジネス誌を、後から書店で実際に買うといった場合もあります。ただ重要な記事などは読み放題の記事から外されていることがあるので、その場合は購読した方が良いでしょう。

私の場合はこの2誌ですが、たとえば外交や国際関係の方なら月刊誌の『Foreign Affairs』などがあります。読者によっては、それぞれ関連する業界が異なると思いますので、各分野を専門的に扱っているビジネス誌や業界専門誌を見つけ、後は紹介したように、気になる、得たいと思った情報を特集している場合に購入する。その程度で、雑誌からの情報収集は十分だと思っています。

雑誌の傾向と世間のトレンドを知る

専門的な知識を深めるために読む一方で、媒体の傾向を摑むためにビジネス誌を読むケースもあります。たとえば東芝に関する報道は多くの示唆があります。どこのメディアでも扱っているテーマですから、どこまで深く取材をしているのか。どのような属性の記者や編集部が、どれくらいの時間をかけて、誰にアプローチし取材・執筆し、独自の考察もあわせて特集として出しているのか。そのあたりの内容を注視して読んでいます。

というのも、単に流行っているテーマだから取り上げる記事と、以前から注目していたテーマであり、同分野に強く、長く携わっている記者が取材した記事とでは、内容に雲泥の差があるからです。

ビジネス誌を読む際にも誰が書いた記事なのかを、必ず確認します。そして深掘りをしていると感じた、情報ならびに考察を持つ記者や記事はチェックし、以降も参考にするようにします。今後も有用な情報を提供してくれる可能性が高いからです。

また、ビジネス誌の読者層は、大企業で働く50代のビジネスパーソンだと思います。この層の方たちの大多数の興味、関心を知るために目を通すという使い方もあります。具体的にはどのようなテーマに興味があり、そのテーマで、現時点で平均的な読者はどこまで把握しているのかが記事の構成を見ると読み取れます。そのようなトレンドというか、感覚を知ることも重要な勉強です。大企業の同世代の方とディスカッションする場合などに、役立つことがあります。

良い、悪いは別として、たとえば未だにExcelやWordの特集が組まれていることがあります。自動運転やAIなどのテクノロジーがこれほど発達し、かつ、大企業であればその多くが取り入れられている一方で、Excel やWord、それも、コピー・アンド・ペーストなどの基礎の知識が取り上げられていたりもします。

おそらく、その手の知識が乏しい読者がいるための特集なのでしょう。「今更聞けない」というフレーズの本が定期的に出てきますが、既に世の中に出ている情報や技術でも、実際に理解できているというのはまた別の話です。その理解に人によってばらつきがあることがこういった特集で知ることができます。

このことを理解していると、たとえば2021年9月21日に日経新聞が報じた「DXとデジタル化の違い『説明できない』管理職が7割」という記事も納得できるでしょう。ビジネスとしてのベテランはそれ自体には価値はありますが、同時に、他の分野への理解というのは長く働いていれば身につくというものではありません。特に、いわゆる「出世街道」と呼ばれるルートをたどっている人こそ他分野に詳しくなる機会は少なくなってしまい、その人がトップになったときに新領域に対応することが難しくなることもあります。これは大企業にとっては避けるべき事態ではありますが、同時に若くして起業を志す人にとっては、自分自身が社会に価値を発揮するきっかけを感じ取ることができるかもしれません。

誰に何を伝えたいのか——情報の〝目的〟を意識する

ビジネス誌に限らず、情報は各記事の質により異なると考えています。実際、先に挙げた2誌でも内容が乏しいと感じる情報を紹介している場合もありますし、逆も然りです。別のビジネス誌でも、2誌より優れた情報を紹介している記事が掲載されていることも、もちろんあります。

ここでも先に紹介したように情報の見極め方がポイントになってきます。特に、各ビジネス誌の成り立ちは重要です。ビジネス誌の成り立ちや歩みを知ると、各誌の立ち位置や論調の特徴、ビジネスの目的などが見えてくるからです。

出版社はそれぞれがなんらかの目的を持って雑誌を発行しており、その中で特集記事を組んでいます。たとえば、経営者ばかりが登場するビジネス誌は、なぜ経営者が毎回多く登場するのか。記事の裏にある、雑誌を発行している根幹の意図や目的、ある意味バイアスを意識する必要があります。

この記事を誰に届けたいのか。記事が出ることで、どのようなアクションが生まれることを望んでいるのか。その結果、誰が得をするのか、損をするのか。情報発信の裏にある本質、目的まで意識するといいでしょう。特に、毎週のようにテーマを組んでいる週刊のビジネス誌は、この点に注意を払わなければなりません。

このような目線で雑誌を見て新聞などの速報性が強い媒体との違いはなんだろうかと考えると、余程の洞察が含まれているか、分かりやすい工夫がされていなければわざわざ読む必要があるものは少ないです。

そして、それ程の洞察ができる記者は、おそらく独立してもやっていけるでしょう。基本的には、媒体側は担当している業界で働いている優秀な人以上の洞察を出すことがなかなかできません。ですので、記事を量産しようと思えば、現場の中で自分のストーリーに合わない人はあえて除き、自分のストーリーに合う人を選んでインタビューをして記事化することに走ってしまいます。

誰が除かれているかを知るためには、読者側がその業界を知っておく必要があります。特に、新卒採用の多い日本では米国と違い、媒体側でメディア以外のビジネスの現場を体験したことがない人が多く、洞察力を磨くことが難しいのです。

書籍を選ぶ前に目的を明確に

本を読む前にも、必ず仮説、目的を立てることが重要です。目的がないまま本を読むと、情報に呑み込まれてしまう可能性があります。何となく手にした自己啓発本にハマったりしてしまうのは、よくある失敗です。

私の場合であれば、日本企業が技術を活用したり、ビジネスモデルを変更して生まれ変わるために、役立つ情報が記載されていること。これを基準に書籍を探します。

そうすると、先述した、平井一夫氏の『ソニー再生』も当てはまりますし、ベンチャーにおける各種事例としてフィンテック企業のマネーフォワード創業者の辻庸介氏が出版した『失敗を語ろう。』は、まさしくそういった観点からも、価値ある情報が掲載された一冊でした。ベンチャーが苦悩しながらテクノロジーを組み込み、不条理な出来事に悩まされながらも前に進む経験談が、美化されるわけではなく、赤裸々に描かれているからです。

学生や若いビジネスパーソンの場合は、書籍を通じて知識を増やしたい、との目的が多いと思います。一方で、それなりのポジションのビジネスパーソンや経営者は、知識そのものよりも、知識を課題にぶつかった場合にどう活用するかという知恵がより必要になっており、近しい業界もしくは立ち位置でビジネスをしている方の成功・失敗事例から学ぶことが大いにあります。目的を何に定め、自分はこれからどうしたいのかを考える。そこまでの仮説を立てた上で、書籍を手に取ることをおすすめします。

まずは「はじめに」「おわりに」に目を通す

私がおすすめする本の選び方を紹介します。本を読む目的、仮説が定まっているなら、書店に足を運びます。書店に行く頻度はまちまちですが、ビジネスパーソンが多く通う行きつけの書店があり、定期的に寄るようにしています。

行った際には、平積みにされている本だけでなく、興味のある領域の本棚に並べられている本まで、タイトルにざっと目を通します。私の場合であれば、テクノロジー、経営などに関連するものです。

その中で前回訪問時にはなかった、気になったタイトルのものを手に取ります。最初から最後まですべて目を通すわけにはいきませんから、「はじめに」と「おわりに」をまず読み、気になった場合には奥付で、著者のバックグラウンドを確認します。

なぜ、「はじめに」と「おわりに」を確認するのか。著者がなぜ本を書こうと思ったのか、理由が明確に示されている場合が多いからです。そもそも本を出版し情報を世の中に発信することは、社会が抱える課題を解決したいと思っているか、単に営利目的なのかの２パターンがあると私は考えています。

さらに言えば、情報を発信することで、場合によってはビジネス上のライバルが重箱の隅をつつくような揚げ足を取ってくることだってあります。そこまでのデメリットを想定した上で、公益のために本を出しているのかどうか。そのような強い想いを、本から得ることこそ、私は大事にしているからです。そして想いがあるかどうかは、「はじめに」と「おわりに」を読めば大抵分かります。文体の「トーン」にも表れています。

私であれば、情報、特にテクノロジーに関する知識が乏しいがために、ビジネスで機会損失を起こし、「もったいない」状態になっている日本経済をなんとかしたい。特に技術の方向性を見定めることを外注してしまい自身を見失っている企業ならびに経営者、新興で外資のテック企業に苦戦を強いられている日本企業に、どうにか力強さを取り戻してほしい。このような想いで本を書いていますし、そのことを何とか「はじめに」と「おわりに」で伝えようとしているつもりです。

強い想いで書かれている書籍であれば、言葉の端々から謙虚さが伝わります。自分を大きく見せたいといった意図で書かれた書籍かどうかは編集者の権限が一般的に大きい表紙、タイトルではなく、「はじめに」「おわりに」で分かることが多いです。

部数、レビュー、発行時期は気にしない

このような考えで書籍を選んでいますから、レビューや売上部数はまったく気にしません。特に、著者に直接建設的な意見を伝える以外の方法で一般的に公開されるレビューは本を最後まで読んだことがない人も書けてしまい、どちらかというと悪意があり、時間がある人が有利になってしまうため参考にしていません。また先述したように売れている本が自分にとって最適とは限らないのです。目的意識が明確なら尚更です。

そもそも餅は餅屋。書店員さんは本を多く読んでいますが、ほとんどの方は出版業界以外のビジネスに詳しいわけではありません。ですので、平積みにされているかどうかもあ

まり評価の指標としては考慮に入れません。読者一人ひとりそれぞれ専門性が異なりますから、私が得意な、欲しいと考えているテクノロジーやベンチャーの領域の情報は、同分野に強い人以外には、情報の良し悪しの判断が難しい、と考えています。

この考えはもちろん、テクノロジーに限りません。各種ビジネス書、政治的な内容が書かれた本、すべてに当てはまりますから、人それぞれ、必要な情報が書かれた書籍は異なっていると思います。無理に最大公約数を求めなくてもよく、だからこそ、他人のレビューや部数は気にすることはないのです。

読み手によって本を読む目的は異なるわけですから、発行時期もあまり気にしません。また、人によってその本が必要な時期というのも違ってくると思います。たとえば、私がおそらく大学生のころに読んだ内村鑑三氏の『後世への最大遺物』という一冊があります。お金持ちになりたい、会社で出世したい、など、いわゆる若い人が思い描きそうな人生の成功や生き方について書かれた本ですが、まさに私は学校を卒業して仕事も含め、どのように人生を歩んでいこうか考えていた時期と重なったため、一文一文が、心に刺さると共に、感銘を受けました。

この一冊は、職業選択というときに読んでいたからこそ、自分に刺さったのだと思っています。だから社会人になれば別の本が刺さるわけです。

『後世への最大遺物』は、内村氏がまだ30代前半のころ、明治27年（1894年）に学校で行われた講演内容を編集し直した内容です。つまり、もともとのコンテンツの中身は、いまから約130年も前のものになります。にもかかわらず、数多くある本の中でも、私にとっては未だに価値ある一冊となっています。本の売上や、刊行時期は関係なく、必要とする人間に必要なタイミングで読まれることが何よりも重要だと分かっていただけるのではないでしょうか。

人によって必要としている書籍は違いますし、同じ人の中でも必要な時期は違います。それを肝に銘じた上で、書籍を選ばなければ誤った選択をしてしまいかねません。

綿密な取材に基づき書かれた本を読む

私が実際にどのような本をセレクトし、読んでいるのかも紹介します。冊数は週に一冊ほど、月に4、5冊ほどのペースです。媒体は新聞と同様に、キンドルなどのタブレット端末を活用することがほとんどです。新聞とは異なり、書籍の場合は休日にまとめて時間が確保できたときに、一気読みすることも多いです。

日本語、英語の割合は半々に近づけるように意識しています。意識しないと日本語の書籍ばかりを読みがちなので、邦訳が出ている本でも意図的に英語の原文で書かれた書籍をできるだけ読むようにしています。テクノロジー、経営、ベンチャーというタグを中心にセレクトしていますが、テクノロジーとビジネスの両方をアートではなく現実的に分析する書籍はそれほど多くありません。

ビジネス誌についての箇所で紹介したように、多くの人が誤解しているテクノロジー観や、どこまで理解しているのかといった知識量、テクノロジーをいかにビジネスに活用するか具体的に議論しているものを好みます。

本を選ぶ上で私が価値ある情報だと感じる点は、主に次の2点です。

・思い込みではなく、利害の対立する両方の関係者から話を聞いた綿密な取材に基づき書かれている
・著者の深い考察が書かれている

以前読んだ書籍は、英語本であれば先にも紹介した『BAD BLOOD』、インスタグラム

の成長ならびに、フェイスブックに買収されるまでの歴史を綴った『No Filter』。

『No Filter』は、インスタグラムの創業者に綿密な取材を行い、彼の性格的な部分まで事細かに描写しています。深い洞察力という観点では、ユヴァル・ノア・ハラリ氏の『サピエンス全史』と『ホモ・デウス』も参考になります。ともにテクノロジーの真価を人類の進化と並べて議論し、洞察力だけでなく、人類に対する深い思想も描かれているからです。

啓発本は読まない

逆に、どのような本は読まないか。本を読んだだけで、何か成功体験が得られたり、人生が劇的に変わるといった効果をうたっている書籍です。あくまでたとえですが、「間違いなく成功するＤＸイノベーション術」といった具合の、いわゆる成功論が書かれた本は読みません。

同じ意味で、啓発本のような書籍もあまり読みません。どちらにも言えることですが、本で書かれていることを実現すればビジネスが成功する、人生で成功者になれるといったくだりが、事実として成り立っている事例を見たことがないからです。実際、そう簡単に実現することがないとも考えています。それよりは、これは少なくともしておいて損はない、という主張や、逆に何をしない方がよいか、という本の方が、執筆者にはあまり利益はありませんし、主張が単純明快でも意外でもないため、ベストセラーにはなりにくくとも意義があります。

判断は自分で行う。つまり私が本に求めている情報は、その判断材料となるファクト、もしくはファクトに基づく深い洞察力だからです。もちろん、啓発本を否定するわけではありません。

昨今多く見られる、ＤＸなど流行りの言葉をテーマにした本にも注意が必要です。中には良書もありますが、ＤＸすること、テクノロジーを導入することが目的化されて書かれたものが多く、そもそもの目的を置き忘れている、俯瞰的に捉えられていないと感じる内容が多いです。

ここでもバイアスが関係してきます。よく見られるのは、システムコンサルティング会社が出しているＤＸ本です。彼らは、企業にＤＸコンサルティングを導入してもらうことが目的ですから、事業で結果を出したい企業とは、温度差があると考えるべきです。

そうではなく、たとえばＤＸを導入して成功した○○社の事例とうまくいかなかった

××社の事例といった、技術導入だけでなく、経営体制までを論じた本の方が価値があると私は思っています。

ただ、なかなかビジネス上の知恵を、公益のため以外に出す人は少ないです。ベンチャー投資としては世界でもトップレベルの実績を出している孫氏のような人物は自らの手法を本で公開することはなかなかないでしょう。引退して時間ができたら後世のために出してくださるかもしれませんが、現時点でも最前線の投資家ですから、自らの経営ノウハウを明かすことでデメリットがあります。

ネット専業メディアはあくまで最終手段

新聞社や大手出版社が運営しており、紙の媒体がありながら同時に運営している場合のWebメディアであればそこから情報を得ることもあります。ただ基本的なスタンスとして、ネット上だけでメディアを運営している媒体から情報を得ることは、私の場合ほとんどありません。

一番は情報の源である人、次にそのような情報源を知るきっかけとなり得る新聞、ビジネス誌、あるいは著者の考察が深い書籍など。ここまでの情報で時間的にも限界だと感じているからです。

速報性があるなどの理由でどうしても得たい情報があった。けれども上記のメディアでは見つからない。そのような場合にチェックする。最終手段という位置づけです。そうでない場合、ネットメディアで見るのは、信用する知人がシェアしたフェイスブックのリンクが多いです。

いわゆるポータルサイトなど、ネット企業が運営しているネットメディアも、ほぼ見ません。質よりも量を優先する傾向が強いからです。企業のオウンドメディアなども、宣伝色が強く見ることはほぼありません。

紙媒体との違いを心得る

ネットメディアから情報を取得しない理由は先に紹介したとおり、情報が偏っていることが多いからです。何か間違っていても、訂正と注意書きもなく、中身を入れ替えることを平気でする媒体に信用はおけません。

もちろん、きちんとした偏りのない一次情報を発信し、深い洞察力もあわせてネット限定で伝えようとしているメディアもあるでしょうから、そういったメディアについては例外です。ただ一般的な感覚として、ネットメディア全体を見れば情報の質は低い。おそらく真摯にネットメディアを運営している方も、そのことには気づいているでしょうし、もしかしたら迷惑に感じているかもしれません。

そもそも、紙媒体のメディアは一度印刷して世に情報が出たら、情報が間違っていたので後から訂正する、といった作業のハードルがかなり高いです。そのため情報が真実であるかを徹底的に、幾度ものチェック工程を経るシステムが構築されています。大手新聞社などでは、内容の事実や整合性をチェックする、校閲を専門に行う部署があります。

しかし、ネットメディアの場合は、整合性のチェックがされないことが多く、悪い意味で間違った情報が出やすい環境です。

ネットメディアから情報を得る場合は、それこそいままで以上に、目の前の情報は真実なのかどうかをチェックする必要があります。

特に、無料で閲覧できるネットメディアの多くは、ビジネスモデルが広告に頼っています。そのため質よりもスポンサーの有利になるバイアスがかかっている可能性があります。

あるいはそもそも公益のための情報発信というジャーナリズムの命題を忘れてしまい、

PVを稼ぐことがノルマになっている場合もあります。そうしたメディアに至っては、とにかくキャッチーで刺激的な内容にしてみたり、ページ数を多く稼ぐために短い文章を何ページにもわたり見せるなど、価値ある情報を読者に届けるといったメディア、ジャーナリズムから大きく逸脱している場合も見られます。

有料メディアの場合は、無料メディアに比べると資金力に余裕はあるので、ある程度取材に力を入れることができ、深い内容を発信しているケースもあります。ただしその記事が、実は広告費が原資のスポンサード記事というのはよくあるパターンです。

やはりここでも、その記事がどんな目的で書かれているのか、情報の裏側にある真意を見極めることが重要です。

自社、個人メディアは広告だと割り切る

オウンドメディアも同じです。最近はベンチャーでも大企業でも、外部のメディアとは別に、自社でメディアを運営し、さまざまな情報を発信する機会が増えています。オウンドメディアこそ、バイアスがかかっている典型と言えます。

私の場合は、あくまで企業からかなりのバイアスがかかっていることを意識しながら、

プレスリリースのようなものだと思って見るようにしています。

一方で、個人やジャーナリストがブログなどで発信する情報は、その筆者の信頼性を慎重に判断します。現代は誰でも気軽にジャーナリストや○○ライターと名乗れる時代だからです。特に免許も必要ありません。これまでによほど意義のある記事がなければ慎重に判断します。

たとえば誰かがシェアリングエコノミー専門のジャーナリストや、専門家と名乗れば記事を提供できてしまいます。そこが、新聞などのメディアと大きく異なるので、信憑性が乏しいと言わざるを得ません。

個人の発信そのものは意味のあることだと思いますが、大事なのはその動機です。そこに公益を考えた大義はあるのか。情報を見る際には、何が目的でそのメディアは運営されているのかを考えるようにしています。繰り返しになりますが、常に頭の片隅に置いておく必要があります。

ＳＮＳの実用性と落とし穴

ＳＮＳは情報の宝庫だと説明しました。実際私も、ＳＮＳを活用し、学びになることが多いです。ただし、ＳＮＳはネットメディアと似ている部分もあり、活用する際には注意が必要です。

ＳＮＳに上がっている情報の中で、信用できるのは実名アカウントが大半です。フェイスブックは特性上、実名が多いですが、そうではないＳＮＳも多くあります。たとえば、総務省の２０１５年の調査ではツイッターでの実名利用は２割程度です。オリンピック選手に対する執拗な中傷が問題になるなど、リアルと匿名では人格が変わってしまっているのではないかと思うほど、思い込みの強い内容も多数見受けられます。そのため、私は実名を出さないアカウントは基本的に参考にしていません。

ツイッターとフェイスブックの違い

ツイッターを利用するエンジニアに多く見られがちですが、実名もしくはリアルで会ったことがある人であれば分かるハンドルネームで、意義ある情報を発信しているユーザーも、わずかですがいます。そういったアカウントだけをフォローするようにしておかなければ、多くのノイズで意義のある情報は埋もれていくでしょう。

一方でフェイスブックは実名でのアカウントに加え、リアルに会った人がつながりの基本ですので、ツイッターに比べると情報の信頼性はかなり上がります。

ただ、友達としてつながっていない人の中にも、価値ある情報を発信している人も当然いますし、逆に、フェイスブックには投稿しないけれど、価値ある情報を発信している人も多い。自分がつながっている人の輪の偏りを意識しておかなければなりません。

また、実名投稿であっても、時間が経つにつれて極端な意見を持つようになる人もいます。再び新型コロナウイルスの例になりますが、専門家ではないにもかかわらず、友達の数やフォロワーが数千人と多いから信頼に値するだろうとの間違った判断で、あるインフルエンサーが投稿した情報を鵜呑みにしてしまうというケースもあります。そして、そのような投稿を、親切心から友達にシェアしてしまう。

中には、意外性を意識し拡散を狙ってポストしている場合もあります。実名だからといって、また友達の数やフォロワーが多いからといって、信用してはいけません。ポストした目的や意図を、ここでもしっかりと考えることが重要です。

アカウントの信頼性を見極める能力も必要です。何か、知り合いが知ることによって意義がある投稿なのかどうか、まったく飾らない日常を共有するのか、それとも物事に対する評論をしたいのか、多くの投稿に共通する動機をはっきりさせる必要があります。

なぜSNSには極端な情報が多いのか

各種ニュースやSNSのコメントに関しては、基本、価値ある情報というのは、そのニュースの関係者のものか、洞察力があるものを選んで読みます。何かを決めつけてかかるような人は、ビジネス上の競合や利害関係者であることが多いからです。ニュースによっては１０００を超えるようなコメントがつくケースもありますが、まともな意見はほとんどなく、しかも発言しているのは関係者ではなく素人が多いようです。コメントをすることにノルマを課されることがある人もいるので、そのことを割り引く必要があります。

コメントを割り引いて考えなければいけないのは、ネットにおけるポストをする人の属性にも関係しています。そもそも本当に何かを主張し、それが社会にとって意義のあることならば、基本は自身で本を出すなり、ビジネスをするなりしているはずです。他人の主

SNSの構図

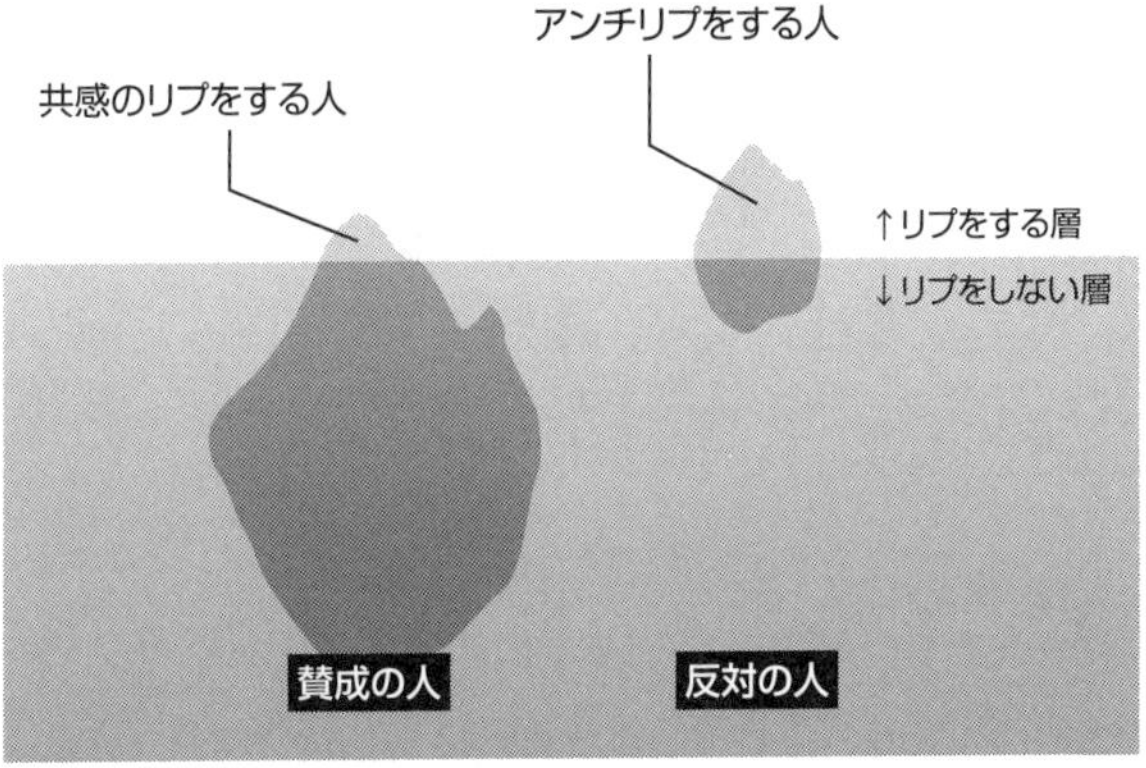

津田晋吾氏提供

張のあら探しをするだけの人も多く、代案を提示しない人も多いです。単にコメントすることが目的化しています。２０２１年時点でも皇室関係など見るに堪えない心ないコメントが並んでおり、ウェブメディア側は「真摯に対応する」とは言いつつも売上を優先します。

　この手のコメントは、世の中の多数意見に反したポストや投稿である場合が多い、という点にも注意しておくべきです。これは考えてみれば至極当たり前で、記事や投稿に対して同意見であれば、特にそれを示す必要がなく注目も集まらないからです。その結果、全体から見れば本当は少数だけれど、投稿やコメント数が多いために、つい、メジャーな意見に見えてしまう。ＳＮＳから情報を得る際には、これらの点に注意する必要があります。図はデザイナーの津田晋吾氏が制作し、２０２０年に話題になった、ＳＮＳの構図を表したものです。このような構図を心得る必要があります。

ＳＮＳに限らず、ネットメディア全般に言えることですが、実名や利害関係をチェックしたり、批判であっても内容が建設的なものでなければ、コメントが載せられなかったりするという構造的な改善をするべきだと、私は思っています。そのようになれば、ＳＮＳならびにネットメディアの情報も、議論から止揚（アウフヘーベン）につながり新しい知見が得られる可能性があるからです。

音声に価値が生まれる理由

音声ＳＮＳの活用についても紹介します。こちらも他のＳＮＳと同じく、実名で登場している有名・著名人の音声情報であれば、聞く価値がありますし、実際に優良な情報を発信しているケースがあります。ただ、実名ではなかったり、単に宣伝のためだったりする情報は、注意が必要です。実際、オンラインサロンやビジネス・サービスの誘導として使われるケースがありました。

音声ＳＮＳといえば、クラブハウスが一時期ブームとなりました。しかし出始めのころは日本でも次なるメディアとして颯爽と取り上げられたものの、こうした信頼性の低下を防ぐ処置が不十分だったために、みるみるユーザーは離れてしまいました。日本ではいまや、利用している人をほとんど見かけません。

ですが、音声ＳＮＳには代替ができない良さというものがあり、それは情報がまったく加工されないという点です。初期のクラブハウスは、自分が興味のある人に手を挙げて質問をすることができました。伸びる可能性があったＳＮＳだったと私は思っています。以前イーロン・マスク氏と新興フィンテック企業のロビンフッド社長との対談があったのですが、歪められない双方の生の声、意見を聞ける貴重な機会でした。

現在、アメリカでは一部のユーザーが価値ある情報を粛々と発信し続けていますから、不誠実なアカウントなどが整備されるなどプラットホームが整った際に、その波がもう一度訪れるかもしれません。それがクラブハウスなのか、他のプラットホームなのかは分かりませんが。

インフルエンサーは情報への入り口

SNSから情報を得る際に触れる量が多くなるのが、インフルエンサーの存在です。情報の源ではありませんが、情報に興味を持つ第一歩として、懸け橋的な存在でもあると捉えています。

たとえば先ほどお伝えした統計学を勉強したいと考えたとき、すべて大学教授から学ぶ必要はないからです。大学教授の情報が研究として前線に近いことはあり得ますが、教え方が自分にあっているかどうかは別問題です。自分に伝わる知識や知恵は、持っている知識や知恵×伝え方の掛け算ですから、予備校の講師の方が伝わる可能性もあります。

そこで、入門編として参考になるのが予備校講師やユーチューブで講義などを流しているインフルエンサーの存在です。大学教授ほどの知識は持ち合わせていなくとも、人に何かを伝えるスキルに関しては、本職の教授よりも優れている場合が多い。エンターテインメントの観点からも、観るものを惹きつける努力や演出も、巧みです。

もちろん統計学だけではありません。他の専門性もそうですが、情報の源流である英語の論文をしっかりと読まないと理解できないテーマがあるのも事実ですが、その一方で、ビジネスの判断においては、そこまでの情報が必要ではないケースも少なくない。

そうした場合には、これまでの説明とは矛盾する部分がありますが、逆に、ビジネスに必要な情報だけを、噛み砕いて分かりやすく提供してくれる、インフルエンサーやメディアの存在価値が高まります。

たとえば、いまやテクノロジーや人工知能の分野で必須の大学レベルの数学知識を、予備校のノリで教える「ヨビノリたくみ」氏などの取り組みが参考になります。役立つ知識を届ける観点からも、意義のある活動だと見ています。

テレビが持つライブ感という価値

ネットメディアやSNSなどの台頭により、テレビに消費者が求めるものが速報性や現場の中継から変化してきています。テレビを観ていると、ニュースアプリで既にスマートフォンに通知があった内容を改めて紹介するようなものが多くなっています。

ただ、すべてがすべてそうではなく、観るべき重要な要素もあります。

まずは、編集されていない生のインタビューです。大企業の取締役などは雑誌やネットメディアの取材はNGだけれど、テレビ、しかもライブでのインタビューであれば承諾する、という方もいます。

ライブであるということは、切り取りされていない、生の一次情報であることも大きいです。さらに、テキストメディアと異なり、話している本人の表情や身振り手振り、声のトーンといった非言語情報もたくさん入ってきますから、話している内容のニュアンスや情報の中でどこが特に大事なのか、そういった詳細まで分かります。これはテレビの大きな特徴であり、強みでしょう。

実際に私も、イーロン・マスク氏や中央銀行総裁の単独インタビューが放送されたりするとなるべく視聴するようにします。登場人物が自分の言葉で話しているかどうか。テレビから情報を得る際には、この点に注意しています。企業の重役であれば、スピーチペーパーが用意されていることがあるからです。録画の場合は媒体側に都合の悪い話などはカットされる可能性があります。そうなると、情報の全容を観るという点で強みは薄まります。

実際、聞いていると、広報からのスピーチペーパーが準備されているのか、あまりにも自社のサービスの宣伝色が強いと感じることがあります。視聴しながら、情報が加工されているかどうかは、よく注意して観なければなりません。だからこそライブでのインタビューに価値があるのです。

ライブインタビューに価値があるのは、もちろん大物だけに限ったことではありません。有料の経済専門チャンネル、日経ＣＮＢＣなどでは、ＩＰＯを果たしたベンチャーのトップのインタビューが放送されているケースがあり、私は大変参考にしています。

私が投資家であり、特にベンチャーに特化しているからかもしれませんが、個人的にはニュース番組を漫然と観るよりも、企業のトップのインタビューで得る情報の方が価値はあると考えています。そしてそのような一次情報を、業界の先を読む判断材料にもしています。おそらく多くの投資家が同じような観点でメディアを観ていると思われますから、そのような観方をすると気づきがあるかと思います。

経営者が未来について語るドキュメンタリー番組は必見

インタビューと並んで、ドキュメンタリーも価値があると感じています。実際、経営者のドキュメンタリー番組などは観て気づきを得る機会が多いです。ただし編集が入っていますから、先のライブインタビューとは異なり、実際の経営者の人柄や考えにはバイアスがかかっている点は考慮しなければなりません。演出なども含めた内容であることを踏まえた上で観るようにしています。

こちらでも、取り上げられる人が誰であるのかを何よりも重視します。このとき、基本、過去のトピックについての番組は観ません。たとえば、ドキュメンタリーとして人気の高かった『プロジェクトX』のような、企業の開発秘話的なドキュメンタリーは、あまり観ない方です。歴史から学ぶことはもちろん大事ですが、重視しているのは、これからのトレンドだからです。量子コンピュータやクラウドの最前線といったテーマで、登場人物も最先端の技術者や科学者であれば、大変興味を持って観る、というスタンスです。

ただ例外もあり学ぶべき要素があると判断すれば、過去のトピックでも観る場合もあります。孫正義氏などの稀代の経営者または投資家であれば、過去のインタビューや取り組みにも価値があるからです。

第一線で活躍する経営者が、どのような思考や戦略で事業を推し進めてきたのか。実際、孫氏やアマゾン創業者のジェフ・ベゾス氏のドキュメンタリーなどを観ると、過去から現在に至るまで、己の信念をぶれさせることなく突き進んでいることが分かり、これから伸びてくる経営者との共通点を知ることができます。

テレビに限ったことではありませんが、漫然と観るのではなく、自分が尊敬できるものを持つ人が出るメディアを日々、確認する作業は必要でしょう。

ニュースは〝順番〟を意識する

ニュース番組は、『ＮＨＫニュース7』やテレビ東京の『ＷＢＳ』を観ています。ライブで観ることはほとんどなく、録画しておき、夜中や週末に倍速で観ることが多いです。

ニュース番組は一日中どの局でも流していますが、なぜ、『ニュース7』を観ているのかというと、省庁をはじめ、多くの人たちが観ているニュース番組だからです。観る際には、どういった順番でトピックが紹介されていくのかを、特に意識しています。

基本的に、ニュース番組は重要だと考えられる情報から順に紹介していく傾向にあります。つまり、ターゲットになっている視聴者の肌感覚を知ることにもつながります。

私の場合はテクノロジーや金融の情報を確認するのが目的ですから、このような番組の選択になっています。ですが、他の業界の方々、たとえば、エンターテインメントビジネスに携わっている方などは、流行のお笑い番組などを観る必要があると思いますし、それぞれ自分の領域に関するトレンドを知るためにテレビを観る、というのもポイントだと思います。

最後に、テレビの大きな特徴は動きを伝えるという点です。先ほど紹介したように、インタビュー対象者の表情や身振りはもちろん、テキストではなかなか伝えづらいような情報を得る際に有効です。

たとえば、自動運転の車椅子があったとします。自動車であれば何となくイメージできますが、車椅子の自動運転は多くの人が観たことがないと思いますから、テキストで事細かに紹介しても、なかなかイメージしづらいでしょう。

しかしテレビで動いている様子を流せば、一発で理解できます。実際、『WBS』のコーナー、「トレンドたまご」はいい例です。ただ、いわゆるテレビ映え、動画として絵になる製品やサービスを、基本的に扱っているという点は考慮する必要があります。

テクノロジーについては実際に使ってみることが何よりも大事ですが、それが難しい場合にイメージを摑めるという点で、動画には強みがあります。

第4章
活用できなければ情報に価値はない

情報の整理は最小限に

「以前A社への投資を判断する上で貴重な情報を得たはずなのに、その情報がどこにあるのか見つからない……」

日々、多くの情報に触れていると、情報の保存や整理も必要になります。ポイントは2つ。「保存」と「検索」です。

たとえばキンドルで読む電子書籍。気になった箇所は紙の本に蛍光ペンを引くような感覚でマークができる、「ハイライト機能」が有効です。私も気になった箇所は、とにかくハイライトします。

ハイライト機能には、後から自分がチェックした箇所をまとめて見られる機能に加え、特定キーワードで検索をかけると、そのキーワードに関するハイライト箇所が閲覧できる機能があります。これがとても便利です。

次にネットメディア。ブラウザの機能であるブックマークなどを使っている人が多いと思いますが、私は使いません。保存にはメールを活用しています。気になったニュースがあったら、リンク先と気になる箇所をコピーします。新規でメールを作成し、本文の部分にペーストし、自分宛てに送信します。

ブックマークではなくメールを使うのは、後から情報を検索したいときに便利だからです。検索機能が付随しているPocket（ポケット）などのブックマークサービスであれば、そちらでもよいと思いますが、私はブックマークが増え過ぎてしまうため、メールを利用しています。

メールは特にフォルダ分けなどもしていません。同じく、保存用の専用アドレスもなし。タグづけもしていません。気になった情報があったら、とにかくすぐにコピー・アンド・ペーストで、メールに保存する。そうして後から活用したいときに、メール検索をするだけ。非常にシンプルな手法です。フォルダ作成やタグづけをしないのは、時間がもったいないとの理由からでもあります。

検索ができる状態で保存するコツ

「○○整理術」といった書籍をよく見かけますが、この手の本は検索ができない場合の整理術であり、検索ができるような状態で保存しておけば、後から情報を探し出す際に困ることはありません。そもそも検索できないような状態で保存しておくことが、情報を埋もれさせてしまう要因になっていると考えています。

ミーティングやディスカッション後の気づきや、リアルな書籍を読んでの感想なども、同じくメールにメモのような感覚で書き、先と同じく自分宛てに送るかたちで保存しています。

相手の会話から得た気づき。ディスカッション時に自分はどのようなロジックで考えていたのか。その上でどのような考えに至ったのか。こうした内容を保存することが多いです。

以前はリアルなノートにメモとして残していましたが、いまはリアルなメモはほとんど取りません。すべてメールで保存しています。私はタイピングの方が速いのでパソコンで記述していますが、若い方などでスマートフォンでの入力の方が速い方は、そちらでもいいと思います。大切なのは、後から容易に検索できること。これに尽きます。

メモに限らず、私も以前はリアルな書籍に鉛筆で傍線を引いたり、付箋を貼ったりして整理をしていたことがあります。しかしこのようなやり方だと、後から見直す機会が少ない。加えて、私は引っ越しも多かったため、物理的に大量の本や紙のドキュメントを移動することが、困難になっていったという事情がありました。

メモツールに関しても、Wordやグーグルドキュメントなど色々と試しましたが、結局はメールの検索機能が一番便利だと気づき、現在に至ります。フォルダ分けしないのは、実際にやってみると分かりますが、先述したように時間がもったいないとの理由に加え、まとめての検索で十分メモとして機能することに気づいたからです。

メールの他には、スマートフォンのスクリーンショットによる保存も活用しています。リアルなビジネス誌で気になった記事を見つけた場合はスマートフォンで撮影し、Googleフォトに保存します。

Googleフォトでは、画像に写った文字をテキストとして認識するＯＣＲ（光学文字認識）機能が備わっていますので、同機能を使うことで、先のメール検索と同じように、後から気になったキーワードで検索することができます。ビジネス誌に限らず、リアルな書籍や書類などでも使える方法です。

ＯＣＲ機能はアップルなど他のスマートフォンやアプリにもありますが、色々と使ってみた結果、現状ではGoogleフォトの精度が最も高いと感じています。アップルよりも

Googleの方が、ＡＩによる画像認識の精度が高いのがその理由のひとつと推測できます。

スクリーンショットでの保存の場合は別ですが、メールに気になった箇所を書き込むという行為だけでも、頭の中で情報を整理することにつながります。

一方で、後から情報を検索することはありますが、情報の整理はほとんどしません。いわゆる情報のアップデート、古くなった情報を削除していくなどの作業も同様です。先述したように企業の情報であれば鮮度があるので、5年前の情報に価値があることはほとんどないでしょう。けれども、時間を取って削除するようなことに必要性を感じないのです。いまであれば記憶容量はクラウドによって増え続けているので、邪魔になっているとも思えませんし、先と同様、時間がもったいないからです。

また、何度でも見返す本の内容などであれば、数十年前の情報であっても価値がある場合もあります。年代によって気づく点が変わってくるからです。このような観点から、以前に保存した情報も、なるべくそのまま保存しています。

保存した情報を見返すことで新たなインサイトを得る

保存した情報をどのように活用しているか。週に一度、月に一度見直すといったアクションはしていません。同じく、情報全体を改めて確認するようなこともしません。特定のテーマで情報が必要なときに、検索します。

たとえば週末に自動運転ならびにＥＶに関する会議に参加することになった場合などです。同テーマにおいての最新の状況と、これまでの自分の考察を過去のものから改めて確認します。

講演やスピーチを依頼された際の資料作りにも活用しています。できる限り、自分の仮説の骨組みを作った上で、パワーポイントのスライドを作成したり、新たに図表を作成したりします。

このような資料作りの過程で、新たな気づきを得られることは大きなメリットです。特に図表を作る作業は、情報を正しく深く理解していないと要点をどう見せるかを考えることができませんから、情報をよりしっかりと把握するという点では大いに役立っていると感じています。

資料を作成していると、足りない情報や、改めて自分の理解が乏しいことに気づく場合があります。そのようなときは、情報の出元に連絡を取り、改めて確認し、テーマに詳しい知人や専門家に聞くこともあります。そのようなやり取りでも、新たな気づきを得ることが少なくありません。

情報は発信することで相乗効果が得られる

得た情報を積極的に発信することも、情報を活用する、さらに価値を高める上では重要なアクションです。たとえば、ある事象に対する考えを違った専門の友人同士の会話で発信したとします。すると、同じような問題意識を持つ知人が、賛同のアクションをくれるケースがありますし、違った意見をもって指摘してくれることもあります。

新型コロナウイルスやテクノロジーなど、専門的な情報においては、自ら情報発信することで、実は解釈が異なっていたことを、専門家が指摘してくれる場合もあります。あるいは、さらに深い情報を補足してくれるようなこともあるのです。

先の情報保存の箇所で触れた内容と近いですが、頭の中にあった情報を、テキストとして発信するという行動を通して、新たな気づき、理解度が増すと捉えています。教えることは、自分にとっても学びという考え方がありますが、教えるとまでいかなくても伝えるだけで十分意味があります。

発信はＳＮＳが手軽です。私の場合は、フェイスブックの投稿で、身元が分かっている人同士の議論に意義があると感じることが多いです。

実際、50代以上のビジネスパーソンでも、情報収集に敏感な方は使っていますし、定期的にポストもしている。もし、まだ利用していないという人がいたら、使ってみることをおすすめします。ＤＸを担当している幹部が、ＳＮＳを十分に活用していなければ、デジタル化の強みを十分に活かしきれないでしょう。

フェイスブックのポストでの情報発信だと、相手が気軽にコメントしやすい、とのメリットもあります。メールでの情報交換と比べ、心理的なハードルが低いからです。実際、私も自分の社会課題への意識などをフェイスブックでポストすると、行政関係者の知人から記事の内容に対するアクションを、コメントでもらえたりします。場合によっては、ポストに関連する意見をより詳しく聞かせてほしいという、交流のきっかけにもなります。

情報発信が人とのつながりを保つ

ＳＮＳを活用するメリットは、他にもあります。コロナ禍においては、以前であれば定期的に会っていた取引先の人と、リアルに会う機会が減ってしまいました。母校の仲間との定期的な集まりも、行うことができない。しかしフェイスブックを使えば、古くからの知人や友人が少なくとも元気かどうかを知ることができます。

本来であれば、リアルな交流の場で、さまざまな情報交換ができて、新たな考えや考察が生まれていたかもしれません。場合によってはビジネスに発展することもあった。けれどもいまはなかなか難しい。しかし、オンライン、SNS上ではそれに近いことができるのです。

連絡を取りたい知人とはとりあえずつながっておいた方がいいでしょう。その上で、自分からの発信はもちろん、相手の投稿も読んで交流をしておく。5年後に、たまたま仕事で会うかもしれません。

オンラインではありますが交流を続けていると、不思議にリアルに会っていなくても、そのような感覚になりません。5年ぶりに再会したとしても、オンラインで日々やり取りしているので、久しぶりだという感覚がないのです。

知人だけではありません。仕事、プライベートを問わず、この人と交流を持ちたいと感じた相手とは、とりあえずつながっておきます。一期一会という言葉がまさにそのとおりですが、その後、どこでつながるかは誰にも分からないからです。

私がフェイスブックを本格的に使い始めたのは2009年ごろでしたが、毎年1000人単位でつながりが増えていき、2013年ごろにはつながりの数が上限の5000人に到達してしまい、新しいつながりを増やせない状況になり、困りました。もちろん、同じSNSを使い続けない知人もいるので、そこで新しいつながりに変わるわけですが。

「フェイスブックを使ってみたけれど、いまひとつ価値が分からない」。このような意見も聞きますが、大抵の場合はつながりの数や多様性が少ないために、情報交換のボリュームが少ないことが原因の場合が多いです。

肌感覚としては、友達が2000人を超えたあたりから、情報の収集・活用という観点で特に、フェイスブックの魅力を感じると思います。まずはとにかく自分が尊敬できるところがある知人、講演会で気になった人などとつながり、情報交換ができる相手を増やすといいでしょう。

個人ではなく、会社や組織でアカウントを作成し情報発信していくのも、読み手側からどういった反応になるのかデータの分析をすることで知見を得ることができますし、実際、企業のマーケティング手法として取り入れられています。

フェイスブックに限らず、こちらも個人・企業どちらのアカウントでも構いませんが、ユーチューブによる情報発信もいいと思います。特に、先述したような、テキストだけでは伝えることが難しい情報の場合には、有効だと言えます。ただ私のまわりでは、ユーチューブを使った情報発信をしている人は少数です。動画撮影、編集に時間がかかるからです。他にはおそらく顔を出したくないなどの理由があるのでしょうが、最近では、テキストを読み上げる機能を使うなどして解決しつつあります。問題ない人や企業であれば、積極的に活用するべきです。

よく見られるのは、せっかく企業のユーチューブアカウントを取得しているのに、実際に流れている情報を観ると、単に企業紹介の既存動画が流れているケースです。そうではなく、企業のトップが登場し、テキストなどでは伝えにくい、企業のビジョンや理念を発信していけば、社内外で理解が深まる可能性があります。何かのイベントでの講演でもいいと思いますし、企業の目指す世界を可視化したビデオと絡めてもいいでしょう。実際に動く動画までにして、よりビジョンを具現化することができるからです。

価値観が表れる情報をポストする

情報を発信する際に気をつけることは、投稿を読んだ人は、発信者の価値観を判断しているということです。レストランで食べ歩いている写真ばかりを投稿していると、この人は食事にだけ興味があると、まわりから思われてしまう可能性があります。

もちろん価値観すべてを表しているわけではないでしょうが、まわりは投稿から人となりを誤解する場合もある、と認識しておく必要があります。

価値観はその時々で変化するケースもあると思いますから、その時点での自分のタグを意識した投稿をするといいと思います。逆に、タグがぼんやりしている情報だと、多くの人の心に刺さりません。

タグが明確であれば、そのタグに関心を持っている人や、その分野の専門家の興味を引きますし、場合によっては、議論に発展することもあります。

私のタグはふだんの活動の理念がそのままで、「デジタルなどの技術活用やデータ活用における社会実装とのギャップを埋める」です。そのため、なるべく平易な言葉で伝えるように心がけているつもりです。

時流も気にしています。実際、２０２１年のポストで多いのは、新型コロナウイルスのワクチンに関する情報です。ワクチンの科学的な理解があまり進んでいない風潮があるからです。

グローバルなレベルで情報収集していれば至極当たり前ですが、ワクチンを接種することが新型コロナウイルス対策で有効であること。副反応においても、あくまで想定の範囲内であり、ワクチンのせいで死に至ったなどのケースは別に要因がある場合が多いこと。こうした点を指摘した記事等を紹介します。英語の情報が多いので日本語訳をつけるようにしています。

新しいテクノロジー、教育に関する投稿も多いです。教育では、検索して出てくる知識よりも、答えが明快でない社会問題をどう議論するのかという知恵にシフトしていかなければ、といった自分の考えを、関連するニュースが出たときに発信しています。すると同じように、日本の教育に問題意識を持つ関係者からコメントをいただき、別途議論をして実際の現場への示唆につながるケースがあります。

テクノロジーではAI、クラウドなど。こちらでも、グローバルでは多くの人がビジネスの前提として知っているけれど、日本では理解が広まっていないテーマならびに、そのテーマに関するグローバルな潮流などを投稿します。先と同様、同テーマに興味がある人がいれば、議論などにも発展します。

経営者や企業であれば、常に不確実性との戦いです。違った意見を持つ人と議論をし続けることによって、自分の仮説の妥当性が見えてきます。そのようなやり取りから、新たなイノベーションが生まれると、私は思っています。

情報発信によるマイナス面

SNSで情報発信する際の注意点について補足します。まずは、積極的に情報発信したいばかりに、一日に何度も投稿してしまうケースです。「暇なのでは？」このように思われる可能性があるからです。至極当たり前のことですが、投稿が目的になってしまえば本末転倒です。

ただし政治家の河野太郎氏のように、誰が考えても忙しいことが分かっているにもかかわらず、一日に何度もツイートしているケースもありますから、ポストの回数は、内容や各人の立場などにより、調整する必要があるでしょう。

河野氏の場合は、同世代の中ではSNSの活用がとても上手です。新型コロナウイルスワクチン接種後の状況を、タイムリーにツイートするなど、多くの人が知りたい価値ある情報をアップしています。

さらには、仕事の内容だけでなく、食事の様子など親しみが持てる要素もアップしています。フォロワー数も２０２１年の8月時点で約２３３・７万人と、政治家ではトップクラスであり、発信としてＳＮＳを活用する予定がある読者は、参考になる活用法です。

情報をオープンにするのか、クローズドにするのかも、内容によっては考えるべき必要があります。事業で成功したなど、プラスの話題を投稿すると、一部の妬みを持つ層がいるのも事実であるからです。

総合的に考えてみても情報の活用として、ＳＮＳで情報発信することはおすすめです。ただし、ここまでに述べたようなマイナス面は心得る必要があるでしょう。マイナス面を考えてまったく使わないのではなく、両方を天秤にかけ、プラスが上回っているのであれば使うべきです。ひとつひとつのアクションの反応は小さくとも、５年経つと大きな変化になっていきます。

情報の発信から
ディスカッションに発展させる

情報の価値をさらに高めたり、得た情報を活用するには、他者とのディスカッションが効果的です。ディスカッションには、いくつか種類があります。まずは、自分が得た情報が本当に正しいのかどうか、確認するときです。

重要なのは、情報の裏付けを取りたい場合には、自分とは反対の意見を持つ人と、議論を交わすことです。人数もできれば最低でも自分を含め、3名以上でディスカッションしてください。

そして、各専門知識も意識して、できれば、自分とは異なる業界や、知識が重ならない人を選びます。世代も意図的に変えます。広く浅くさまざまな情報を持っている、ストラクチュアル・ホールな人もいいでしょう。

特定分野に深く精通している研究者や学者、実務に就いている方とのディスカッションもおすすめです。たとえば私の場合、ブロックチェーンのある技術について深く知りたいと思った場合には、研究職の方と話をすることが多いです。

特定分野の専門家とディスカッションすると分かりますが、自分にはない知識を持っているのはもちろん、自分の考えを発展させる場合においても、かなり刺激を受けます。そのため私の場合は特に、テクノロジーにおける各領域、テーマそれぞれの専門家との議論を非常に重視しています。

ただひとつ言えることは、一般的に経営者のようなストラクチュアル・ホールなタイプの人は、あくまで意思決定のために役立つ議論をすべきということです。その上で専門的な知識やインサイトを持つ人たちとつながっておくことが重要であり、自らがすべての専門家になる必要はありませんし、時間もないでしょう。

誰と話すかを意識する

ここまでで注意が必要なことは、専門家とディスカッションする上でも、自分と合う人や、これまでの友人ばかりと議論を重ねていると、やはりそこでもなんらかのバイアスがかかってしまうということです。ですから前述したように意図的に、自分とは意見も含めて合わないけれども、その分野においては間違いなく専門家であるという人物とのつながりや、新しいつながりを常に探し続けなければなりません。自分のネットワーク外の人物と話をすることこそ重要なのです。

また、専門家以外でも意識的にディスカッションする層が私にはあります。情報の感度が高い人たちです。特に新しいアプリのサービスの動向の場合は、まだ専門家もいませんから、流行がすぐに伝わりやすい人、感度が高い人から教えてもらうことも多いのです。その上でビジネス上の判断をするケースが少なくありません。

ただ、そのような情報も重要ですが、あくまで材料のひとつです。より価値の高い上流の情報は、勢いがあるベンチャーであれば、経営者自身に集まってきます。

ディスカッションをする中でも、いま交換している情報がどれだけ源泉から離れているのかということは意識しておく必要があるでしょう。

対話を重ねることで情報をブラッシュアップする

意見交換、ディスカッションを続けていくと、自分の意見もブラッシュアップされていくことに気づきます。自身の意見が研ぎ澄まされていく感覚です。

なぜ、自分の意見と他者の意見が食い違うのか。そのことをしっかりと確認できれば、より真実に近づきます。前提としてすべての人が同じ意見というのはあり得ません。

たとえば、あるニュースをSNSにシェアしたところ、「いいね！」だけでなく、反対意見が届くことは当たり前にあります。そして、そのような反対意見を書き込むには、私の意見に裏付けがあるように、同じく向こうにもエビデンス（もしくは思い込み）がある。

そのエビデンスをディスカッションで明らかにしていくと、実は、どちらかにバイアスがかかっていることが分かることが多いのです。あるいは新たな気づきを得て、両者がまったく異なる意見に変わることもあります。

たとえば先日、ＢＭＩに関して議論を交わしていたときのことです。ＢＭＩを実装するには、頭蓋骨の一部に穴を開ける場合がありますが、その方は、感染症の危険があり、実際に症例も出ているので、発展は難しいというのです。

しかし議論を重ねていくと、確かに感染例はありましたが、克服不可能というわけではないことが分かりました。その人にとっては、たまたま知っていたケースの患者が感染症にかかったため、その危険性にばかり目がいってしまったのです。感染症を防ぐための技術は発展中であり、この問題が解決される可能性は大いにあります。

単に勘違いを防ぐという意味でも、ディスカッションが機能します。同じくＢＭＩについて、同テクノロジーが進化したら、自分の頭の中にある情報を他人に盗み取られるのではないか、と恐れている人がいることを議論を通じて私は知りました。

結論から言えば、自分の持っているスマートフォンの通信情報を他者に盗み取られるのと同じ原理ですから、セキュリティをしっかりと整備していれば、盗まれることはありません。スマートフォンを操作している電波も、脳から無線で発信する端末も、どちらも無線で通信するという点では共通しているからです。にもかかわらず、人の脳となっただけで、急にそのような不安が浮かんでくるわけです。

新型コロナウイルス、特にワクチンに関する情報バイアスも、ディスカッションすることで明確になるケースが多々あるのではないでしょうか。たとえば、ワクチンを打った後で亡くなった人々が累計で１０００人になるという報道が２０２１年８月の下旬にありました。

詳しく調べれば、この時点で約５０００万人が二度目のワクチンを接種していました。ワクチンを接種後に死亡したとされるのは、約０・００２％です。日本では１年間に１４０万人ほどの人が亡くなっており、１日に換算すると約３８００人が亡くなっていることも考えると、このごく少ない死亡者数の中でもさらにワクチンが原因とは考えられないケースが存在することも想定できます。まだワクチンが出回っていなかった２０２１年１月の時点で、日本のコロナの死亡率が１・４％であることを考えると、打つのか打たないのかどちらが危険であるのかお分かりいただけるはずです。

先のＢＭＩのように、バイアスがかかった状態で情報に接すると、どうしても思い込みに囚われてしまう。そこを、別の人に指摘してもらうことで、正しい情報にたどりつくことができます。

有名な生存者バイアスという事例を紹介します。戦時中、被弾して戻ってくる戦闘機の多くが、尾翼に被弾していたそうです。その情報から、尾翼を強化した戦闘機に改良しようとの判断がなされたことがありました。

しかしこの情報には大きな間違いがあったことが明らかになります。本当に強化すべき箇所はコックピットなど、被弾の痕がなかった場所だったのです。ですが、コックピットに被弾した戦闘機は墜落するため、戻ってきていない。つまり、本来であれば拾うべきデータが拾えずに、戻ってきたサンプルだけで判断してしまったのです。

今回の新型コロナウイルスでも、生存者バイアスを大いに参考にすべきです。新型コロナウイルスに罹患し亡くなった人の声は、情報として取り上げられていないケースがほとんどです。

ワクチンを打とうかどうか迷っている間に、感染して死亡した人がいたとします。その人が死後の世界で「ワクチンを接種すればよかった」と後悔していても取り上げられることはありません。

大切なのは、目の前にある情報が正しいのか、そうではないのかの冷静な見極めです。出所がはっきりしているから間違いないと決めつけたり、他人に押し付けたりするのではなく、あらゆる情報にバイアスがかかっていることを考慮し、自分以外の人に意見を求めることです。

その上で自分の意見が異なっているのであれば、なぜ、異なっているのかを突き詰めて考える。このやり取りが、とても重要です。

まずは自分から情報発信する

優れた教育現場の指導を見ていると、教師がモデレーターとなり、ディスカッションし合う授業が繰り広げられています。単純に一人で考えるよりも、効果が高まるためです。

ディスカッションの場では、まずは自分から情報提供することが重要です。フェイスブックのポストをきっかけに、コミュニケーションに発展するケースはいい例です。特定の方と議論を交わしたいと考えたときも、まずはこちらからなんらかの情報を提供すべきです。日本でよくある「情報交換」といったアクションは、あまりおすすめしません。論点が曖昧過ぎることが多いからです。せめて何かしらの論点、仮説を提示するべきでしょう。

私にはこういった情報や考えがあり、その上であなたの意見を聞きたい。ここまで具体的にメッセージを送るべきです。

いわゆるオープンな勉強会や情報交換会への参加も、情報を得るという観点ではあまりおすすめしません。明確な判断材料を求めての参加、人脈を増やす目的での参加であれば構いませんが、この手の場は、多くのケースで上辺だけの話し合いに終わることが多いからです。ディスカッションの場ではなく、あくまでコミュニケーションが主目的であると考えています。

本音のディスカッションに最適な場所は居酒屋

ディスカッションはチャットやオンライン、ＳＮＳ、そしてもちろん対面でも、どれでも構いません。情報に違和感を覚えたら、また間違っている情報ではないのかと感じたら、すぐに意見交換することが大事です。

その中で個人的にひとつおすすめしたい方法は、リアルな場でカジュアルに議論することです。お酒が飲める方には飾らない居酒屋でもいいかもしれません。忌憚のない意見交換ができます。また、それまではまったく関係のない人物を、たまたま知人が連れてきてつながっていくこともある。

専門分野の研究者と居酒屋に行ったりすると発見が多いでしょう。おそらく、研究者の方は、自分の話にはあまり興味がないかもしれませんが、研究している分野がいかに面白いかというテーマであれば話が止まらないことも多いです。

特にディスカッションをメモすることはしませんが、気づきを得たポイントは御礼メールやチャットとともに後でまとめておきます。たとえばリアルな飲み会の後であれば、帰りの電車やタクシーの移動中でもメールを作成します。大事なのは、すぐに行動することです。相手にとっても、何が気づきになったのかを知ると、話した甲斐があったということにもなります。

日本は意見を主張する場が少な過ぎる

本書のテーマからは少し逸れますが、ディスカッションについて、少し補足したいと思います。日本人はディスカッションが下手だと言われることがありますが、そもそも場が少ないということです。そのため、自分の意見をまとめたり、発言するスキルが乏しく、海外の人たちと折衝する際に、不利益を被っている機会が非常に多いと感じています。これはビジネスの現場に限らず、G7など、国同士の国際的な会議の場でも言えます。

なぜ、日本では議論する機会が少ないのか。まず大きいのは、日本ではテーマに関して専門家でなければ意見してはいけないという空気感があることが原因です。さらに、専門家の中でも一番手である先輩を差し置いて、後輩やその他のメンバーが意見することも、自重する風潮があります。

このような風潮だと、経済が右肩上がりのときならまだしも、激変する時代の中では新しい発想が生まれにくくなってしまいます。そもそもディスカッションとは、自分が正解を言ったり、相手を言い負かしたりするための場ではありません。先のディスカッションの内容どおり、さまざまな人の意見を重ね合わせることで、最終的に落とし所を見つけていくことが目的だからです。

揚げ足を取るような人がいるのも問題でしょう。間違った意見に対して、すぐに突っ込みを入れるような存在です。欧米でも確かにそのような属性の人はいますが、日本に比べれば相対的に少ない。それよりも、意見を発したことを尊重する文化です。仮に間違った発言だったとしても、その際には、学んで成長していけばいい。そういった考えが一般的です。

このような文化の土壌があるので、グレタ・トゥーンベリ氏のような若い方でも、公の場で堂々と自らの意見を発しています。彼女より環境問題について詳しい専門家は当然います。しかし彼女は若い世代を代表して意見を発していると、立場を明確にしてディスカッションの場に出ています。

一方で日本は、沈黙は金なりとの文化が未だに残っているのも、ディスカッションの場が活発にならない要因だと捉えています。対して英語圏では、沈黙は同意と捉えられてしまいます。

２０２０年、アメリカのミネソタ州で、ある事件がありました。偽札使用の疑いで通報があり警察が駆け付けた際、容疑者とされる黒人男性のジョージ・フロイドさんを、警察官が膝で首を押さえつけるという方法で拘束し、死に至らしめてしまったのです。その後、アメリカではブラック・ライブズ・マターという人種差別に反発するムーブメントに発展しましたが、そのようなアクションがあったのは、仮にあのまま黙っていたら、警官の行為を正当化したと、アメリカでは見なされるからです。

つまり、日本人が考えている沈黙は金なりとの考えは、英語圏で見た場合には、まったくの逆なのです。議論の場で、専門家が自分の分野の発言で間違えた場合、誰かが正す必要があります。しかし、日本では第一人者の意見を否定するなんておこがましいとして、間違いであることが明らかなのにそのまま放置する。これが英語圏の考えでは、発言を控えた時点で、その間違った意見を認めて、同じ考えを持っていることになってしまいます。

要人が意見を発する際にはスピーチペーパーが部下によってほぼ用意されるようになっているのも、問題だと私は捉えています。もちろん準備は必要なのですが、自分の言葉として解釈できているかどうか、その内容について議論できるかどうか、が大きく違うからです。

意見を発しない理由のひとつに、その分野やテーマについて詳しくないから、不用意に発言ができない、という考えがあります。特に、最新のテクノロジーに関するような話題では、それこそシニア層のビジネスパーソンや、他の業務で忙しい経営者などは、時間的にも厳しいので学ぶ機会がない。それを悟られたくない、というところもあるでしょう。

けれども、知らないことを恥じる、知らないということを言えない、そのような空気が経営状況を悪化させてしまう危険性があると私は考えています。本当は知らないことを他の参加者に知られたくないために、業者に用意してもらったシナリオなど、表面上の情報だけは調べておいたという策を取るのも、問題を長期化させてしまいます。そして最も危険なのは、同分野に詳しいメンバーにスピーチペーパーを用意してもらって、内容をまったく理解せずに発言をすることです。

大前提としてある程度の勉強は当然必要ですが、知らないものは知らないと言える環境を整えることが必要です。たとえば、ＡＩモデルを開発しているベンチャーと協業するための会議に参加したとします。

議論の中で突き詰めて考えていくテーマは、本来はＡＩを活用して会社は何をしたいのか、になります。この議論を進めるとき、そもそも相手がＡＩを専門に研究開発しているベンチャーであれば、専門分野ではない企業の経営者は、知識で勝てないでしょう。逆に知ったかぶりをして専門的な話題に進んでしまっては、本質を見誤ってしまいます。

当社はＡＩに関する知識も技術も乏しい。けれどもＡＩを使うことができるようになれば○○のようなサービスが展開できるのではないかと考えている。そこでＡＩに関して調べた結果、御社の名前が挙がった。ぜひとも忌憚のない意見を聞かせてほしい。このような発言を、トップ自らの言葉で伝えるべきなのです。ここでも仮説が重要です。

日本の特徴として、まるで高校までの試験のようにあらゆる場面において常に１００％、正解を求められる感覚があります。間違った発言や失敗は許されない。この激動の時代で、出すサービスがすべて大成功するなどあり得ません。10個出して3個大成功すればいい方だという、適正な期待値を持つことが重要です。その打率を少しでも上げていけばいいのですから。

ディスカッションを通じて、自分は何も知らないことが分かった。だからこれからは、改めて勉強していく。このようなアクションが当たり前の社会でなければならないと思いますし、そのような社会になることを私は願っています。

私も議論の場で分からない、知らないことが出てきたら素直に相手に聞くか、すぐに検索するように心がけています。そもそも自分はテクノロジーや金融を経験してきましたが、あくまで広く浅く、であることを認識しています。各分野の専門家と比べたら、知識が劣るところもあるでしょう。そして、分からないことを聞いたり、学んだりして知識を深めていきます。その上で、さらにディスカッションを重ねて、より情報を洗練させていくことが大切です。

SNSを経営に活かす

先ほども少し触れましたが、SNSは情報発信、ディスカッションの場としての役割だけではなく、世の中のトレンドを知る手段という観点でも、大いに活用する価値がありま す。そういった観点からも、企業の広報、マーケティング担当者はもちろん、経営者自らも、実際に使ってみることが重要です。

「自分たちとは業界が異なるので関係ない」「ビジネスに直接関係がないのでやる必要がない」「インスタグラムって若者が見るものでしょう?」。このような感覚で、やらない経営者がいますが、機会損失につながりかねません。

情報のアップデートが速い昨今では、現在は自分たちの業界と直接関係のないように思える領域のサービスであっても、将来は自分たちの存在を脅かす存在になる可能性があるからです。

SNSを通じてゲームチェンジャーを発見する

たとえば電気が発明されたころ、世の中の約5000万人の人に広まるのに要した時間は、50年ほどであったと言われています。一方で、スマートフォンのゲームアプリ『ポケモンGO』のユーザー数が同数に達するのに要した時間は、完成からわずか19日です。

クラブハウスの浸透スピードもかなりのものでした。ドイツで流行ったと思ったら、1週間後には日本に上陸。以降は瞬く間に、日本でも広まりました。いまはまったく世に出ていなくとも、もしかしたら1週間後には、自分たちのビジネスの顧客を奪うようなサービスが登場しても、何もおかしくないのです。

このように経営者にとって情報のアップデートが必要です。自分たちの領域外、意図的にまったく異なる業界の情報も含め、キャッチアップする必要があります。そしてそのような異分野の最先端を知るために、各種SNSは最適だと言えます。

カメラのフィルムを製造していたコダックは、デジタルカメラやスマートフォンの登場により、マーケットから去らざるを得ませんでした。同じカメラやフィルム業界のライバルの動向は注視していたと思いますが、まさかアップルという業界外の企業から自分たちの主力商品が追いやられるとは思わなかったでしょう。

IT業界と自動車業界でも同じような兆しが見られます。アップルやアマゾンの自動車業界への参入です。それこそアップルがとても革新的な車を出した途端、多くのユーザーが既存の自動車から乗り換えることだって十分あり得る話です。ビジネスのライバルはどこにいるか分かりません。

これまで紹介してきた新聞、ビジネス誌などから情報を得ることももちろん大事ですが、いわゆるビジネスメディアだけを見ていては、これから先の業界の壁が崩れる時代では勝ち残っていけない可能性が高まっています。

たとえばティックトックに対して、「若者が悪ふざけをしている動画をアップしているだけのゲームのようなものだろう」と日本の経営者、特に大企業の方々は捉えているようです。しかしユーザー数は17年を経たフェイスブックの約30億人に迫る20億人に、たった4年で近づき、運営するバイトダンスの時価総額は約40兆円と報道されています。これは、日本のトップ企業はもちろん、特定業界全体の企業の時価総額をあわせても敵わない額です。また、このユーザー数の規模で、金融サービスやモビリティサービスを盛り込んだスーパーアプリなど、異業種に参入することも可能なので、すべての業界が注視すべき企業でもあります。

トレンドの変遷を知る

多くのトレンドはぽっと出てきたように思えるサービスでも、実はその前後に、近しいサービスがあるケースが多いです。たとえばフェイスブックを見てみましょう。いままでは世界中で使われている圧倒的なユーザー数を誇るＳＮＳですが、サービスそのものは同社が原点ではありません。日本でも同様で、フェイスブックが台頭する以前からグリーやｍｉｘｉ（ミクシィ）など、いくつかのＳＮＳがありました。

グリーやミクシィには先行者利益がありました。けれども実名のＳＮＳが今後のトレンドになることを織り込めず、スマホアプリへの対応での遅れもありフェイスブックが大きくユーザー数を伸ばしていきました。

さらに新しいＳＮＳが出てきてもおかしくありません。ですから、まずはあらゆるＳＮＳなど新サービスを実際に自分でアカウント登録して使ってみることが重要です。その上で各サービスの違いを確認し、なぜ大きく成長したのか、発展の差異などを考えるといいでしょう。

実際にユーチューブとティックトックとの違いなどを、考えてみましょう。すると、ティックトックはスマートフォンで撮影した動画を簡単に編集してすぐにアップロードすることができますが、ユーチューブは同じようにはできないということが分かります。レコメンデーションに関しては、ユーチューブの場合、これまでの履歴を参考にしているようですが、ティックトックは基本的には同じく履歴を参考にしていながら、一定の割合で、自分の興味とは関係のなさそうなランダムの動画をレコメンデーションしてくる仕様となっていることが分かります。

そのような違いが見えてくれれば、情報の発信にも、よりベターなSNSを選ぶことができるでしょう。0からスタートする発信者側からすると、ティックトックの方が視聴されやすいことが分かります。

実際、少し前までは一般人だった学生などが、ティックトックで動画をアップしたことで、わずかな期間で人気モデルやインフルエンサーになる例が多くありますし、このような特徴もあって、有名になりたい若者から圧倒的な支持を得ています。一方でユーチューブは、先述したヨビノリたくみ氏のように、1本10分近い充実したコンテンツが詰まった動画を、じっくりと観ることができます。

縮小していったサービスは、どこにユーザーを奪われていったのか。このような着眼点は、自身のビジネスにも活きてきます。さらに、トレンドに敏感な企業は、どのSNSを活用しているのか。どのような動画を作って、情報発信しているのか。SNSを通じて、戦略を学ぶこともできます。

実際、ユニクロなど、ビジネスにおけるグローバルの知見に富む企業では、SNSの活用もいち早くトレンドを反映したものになっています。具体的には、海外のユーザーを意識したような情報を、写真などを使い、積極的に発信しています。

どのような写真、動画が支持されているのか。どのような投稿が広がっているのか。深くチェックすることで、消費者の最新の動向を知ることができ、自社のマーケティングに活用することが可能です。

特に、ティックトックやインスタグラムといった、若者や女性から人気のあるＳＮＳは、注意が向いていない企業もまだ多くあると思われますので、試しに使ってみることをおすすめします。世の中の流行に対する感度が高いのは、若い方や女性だからです。各属性の人たちの感性を知るといった意味でも、見るべき必要があるでしょう。若い女性はフェイスブックではなく、なぜインスタグラムを好んで使うのか。フェイスブックがその傾向を察知してなぜいち早くインスタグラムの買収ができたのか。では、その次に流行りそうなＳＮＳサービスはどういったものなのか。ここに今後のビジネス展開や、ヒット商品、サービスのヒントが隠れていることもあるのです。

同じく、ユーチューブではなく、なぜ、ティックトックなのか。若者や女性であれば誰でも感覚的に分かることを、大企業の幹部であると日常の業務に忙し過ぎて、知らないケースが多いのです。情報を得るという観点からは微妙にずれますが、トレンドを知るという点においては、この２つのＳＮＳは、特に押さえておくことが重要です。

ＳＮＳにおいては、若者の流行りだとは捉えないことも大事です。社会実験の場であり、あらゆる世代、グローバルレベルの行動特性を知り得る貴重な場だとの認識を持つべきです。そして得た情報を活用する場として利用します。

実際に見たけれども、何が魅力なのか分からない。そのような場合は、ユーザー層である身内に魅力を聞くのもいいでしょう。会社の部下だって構いません。事業を一緒に進める広報やマーケティング部署に直接聞くのもありだと思います。ただしその際にも、自分自身が実際に使っていなければ、その効果が分かりません。

ＳＮＳを使わないことは、逆にリスクにつながる懸念があります。特に、大企業やメジャーなサービスにおいては、それこそ偽のアカウントが作成され、嘘の情報を発信されるようなケースが出ているからです。

実際にあった例ですが、大手デパートのフェイスブックアカウントで、セールの情報が発信されました。しかしそのアカウントは、デパートの公式アカウントではありませんでした。知らぬところで自社の評判に関わる情報が発信されている可能性もあるのです。

情報から未来を予測する

情報を得る前に仮説を立てること、情報を得た後にはシナリオを考えること、そして、追加された情報を基にシナリオを修正することが重要です。

たとえば、後出しになってしまいますが、初期のころに新型コロナウイルスが流行した際、考えなければならなかったことを振り返ってみましょう。大前提として、コロナウイルスに関する知識と、何がこれまでの感染症と違うのかを深掘りしなければいけませんでした。

その上で、自社のビジネスに、新型コロナウイルスの動向がどのような影響を及ぼすのかを分析します。この答えを見つけるためには、①この先も感染者、重症者が増えるのか。②どのような経緯で増えるのか、変異株は発生しているか。③今後どのような対策が登場するのか。④そのような対策を施した結果、いつごろコロナ禍は収束するのか。そうした見立てが必要になるのではないでしょうか。それを基にして、シナリオを考えるのです。

結果として以下の情報が集まりました。①今後も増えることが予想される。②人を介して伝わる。③対策としてはワクチンを接種し、人と接触しない。接触する際はマスクでウイルスの飛沫を防ぐ。④複数のワクチンの開発が進行しているが、対策の進み方次第で、まだ予想がつかない。

このような見立てを得た時点で、今後、ビジネスを円滑に進めるためには、マスクが必須であり、リモートワークができる体制が必要になるというシナリオが、まず考えられたはずです。そして、ウイルスを起因とした感染症ですから、ワクチン開発の動向を把握しなければならないという考えにも及びます。

ワクチン接種によって多くの人が免疫を獲得すると、新型コロナウイルスはその免疫を逃れようとします。こうして、他のウイルスと同様に、新型コロナウイルスは変異していくため、ワクチン開発は変異株とのいたちごっこになりそうだという予測が立ちました。シナリオを考えて、それを発展させていく必要があったのです。

情報を使ったリスクケア

その後についても考えてみましょう。

収束するのが具体的にいつなのかを予測するためには、変異株の動向と、ワクチンの開発状況に関する２つの情報が重要だと分かります。それらを集めてシナリオを考えていきます。

その上で推奨したいのが、重み付けでシナリオを考える方法です。実際に得た情報を基に、たとえば今年中に収束する確率は現時点の情報では約〇〇％、来年の前期に収束する確率は約〇〇％という考え方です。

確率の考え方で、事前確率、事後確率を扱うベイズ統計学に通じるところがあります。簡単な事例として、３つの宝箱のうち１つに宝石が入っている場合を考えます。１つしか開けられない条件で、「この宝箱だ」と選んだ後に、たまたま強風が吹いて選んでいない２つのうち１つが開いてしまい、それが空であることが分かりました。このとき、最初に選んだ宝箱をそのまま開けるのと、開ける宝箱を変更するのとでは、どちらが宝石が手に入る確率が高いか、という問題です。

答えは「変更する」です。なぜなら、最初に選んだ段階では１／３の確率の中から選びましたが、１つが空であることが分かった後でなら１／２の確率の中から選んだことになるからです。

変異株に対しても有効なワクチンが開発されたとの情報がアップデートされたら、年内に収束する確率は約〇〇％に増えるというように、考えを変化させることができます。情報を取得するたびに、未来のシナリオの実現確率の配分を変えていくのです。

このようにして得た情報を基にシナリオを描くことは、企業におけるリスク管理や、ＢＣＰ（Business Continuity Planning／事業継続計画）にも大いに活用できます。あらゆる可能性を考え、それぞれ起こる確率を現時点での情報で考える。情報がアップデートされたら、シナリオの起こる確立配分の検討ならびに場合によっては新たなシナリオを考えておく。このように活かすことが重要です。

そもそも、ビジネスの世界に絶対はありません。リスク管理ができていない企業は、シナリオが刻々と変化していく事態には弱くなります。なるべく包括的なシナリオを考えて発展させ、そこから起こり得る事態を想定していくことで、リスクを減らしてビジネスに臨むのです。

情報を活用し経営判断の成功確率を上げる

情報を活用することは、判断やアイデアの糧にする、とも置き換えることができます。先ほどＳＮＳをトレンドを知るきっかけに活用する内容を紹介しましたが、情報を得るだけでなく新たな行動につなげるのです。価値ある情報を知れば知るほど、新たなビジネスチャンスにつながったり、他にも、気づかないうちにライバルに追い抜かれるようなことを防ぐことができたりします。

たとえば、クラウドやＡＩに関する情報を知っていれば、これから先、新規ビジネスを展開する際、同分野に関連するサービスの成功確率が高いことが、判断できます。逆の言い方をすると、クラウドやＡＩに関する情報が乏しかったり、正しく理解できていないと、新規事業で失敗する確率が高まります。

情報は、なんらかの道筋、当たりをつけるためのきっかけであり、重要なシグナルでもある、と言えます。先ほどお伝えしたように、ＡＴＭの手数料が半額以下に引き下げられるという世の中のトレンドがあります。さらに、ペイペイなどの電子決済を活用すれば、利用者は手数料０円で、お金の支払いや送金までできる。手数料ビジネスはこの先、厳しい戦いを強いられることが明白です。

それどころか、手数料に限らず、利便性やデジタル通貨など新しい金融システムへの対応という意味でも従来の金融ビジネスモデルはこの先かなり厳しい状況にあります。このような情報を知っていれば、新規でこれまでと同じ金融ビジネスモデルを手がけようとの経営判断をするのが得策ではないという判断ができます。

若い人にとっても、同マーケットへの就職や転職をするのは比較的リスクがあると予測できます。一方で、フィンテックと呼ばれる、従来とは異なる画期的な金融ビジネスで成長しているベンチャーもあります。

既存の金融サービスと、新しく出てきたフィンテックのサービスは何が違うのか。それらの情報を知ることが、今後のビジネスのチャンスの糧になるのです。ある分野で勝負したい場合にも、情報を得ることでビジネスの成功確率を高めることができます。

メルカリの例が参考になります。ＳＮＳにおけるフェイスブックと同様に、フリマアプリ業界においても、メルカリは先発ではありませんでした。けれども先発の企業の動向をチェックして、同マーケットに価値を見出したのでしょう。情報を仕入れていくと、アプリの使い勝手、出品の手間、企業の知名度といった課題をさらに改善すれば、成長する領域との仮説を立てることができました。

そして実際、そのとおりの経営戦略でビジネスを進めた結果、いまや米国市場も開拓する企業に成長していったのです。後発だから先発に勝てないということは、決してないと言えます。情報をうまく活用すれば後発であっても勝てることは、フェイスブックやメルカリの例を見れば明らかで、そこから多くの示唆を得ることができます。

特に、業績が良いときほど、多くの企業や経営者は自分たちのサービスが伸び続けると過信してしまいがちです。そういったときこそ積極的に、世の中のトレンドをキャッチアップしたり、追い上げてくる新しいライバル企業の動向などもチェックしたり、現在のサービスはこの先も好調を維持するのか、判断することが求められます。

具体的に考えてみましょう。昨今のトレンドでもある量子コンピュータ。同分野において、日本の企業が世界の競争についていくためには、どのような情報の取得ならびに活用をすればよいでしょうか。

まずは正しい情報の取得が重要です。量子コンピュータが技術的にどこまで進んでいるのか。業界における、重要人物やアカデミックな機関や企業、研究施設はどこなのか。彼らはどのような研究をしているのか、論文などで情報をチェックし、把握します。

そうした情報を得た上で、果たして競争優位性があるのかを判断します。判断が難しい場合には、見識者とディスカッションを重ねることも大切ですし、さらに情報を得ることも必要です。

そして、いざビジネスとして手がけるとしたら、どのような企業がライバルになるのかも探ります。業界内に限らず、広く、情報を収集する必要があるでしょう。ビジネスとして進めていく上でどのあたりがボトルネックになるのか、どこの領域やタイミングで勝負すれば勝てるのか、そこまでの経営判断ができる体制ができそうかを予測します。経営に限らず、あらゆる判断はすべて情報がベースです。情報が不足している段階でも判断をしなければならないときはありますが、できれば最低限の情報を持って判断する体制を整えなければなりません。

社長（取締役会）直結の情報収集チームを整備する

トップ自らがフェイスブックやティックトックを試しにでも使ってみるべきだと紹介しましたが、正直、本業がある経営者にとって、特に大企業のトップであれば、昨今のＤＸや働き方改革、さらには業界団体や財界関係者との取り組みなど、やるべきことが多過ぎて、時間を捻出できない、というのが正直なところでしょう。

そのため、できる限り体験してもらうことに変わりはありませんが、限られた時間の中で情報をピックアップするためには、会社全体で、チームとして情報を収集できる組織体制が重要になってきます。

おそらく、特に日本のいわゆる大企業の場合は、各部署が縦割りで構成されていますから、自分の業務に関連する分野以外の情報に関しては、積極的に得ていないのではないでしょうか。

そこで、ポイントとなってくるのが情報収集に特化した専門家です。おそらく、このような取り組みは新規事業部などが一部、担っていると思います。しかし、特に大企業の場合は異動があったり、情報の共有に上司の承認を得る面倒があったり、といった制約があります。

そのためせっかく価値ある情報を得ていたとしても、ボードメンバーに上がる前に、上司や役員に止められる可能性が大いにあります。ティックトックなどはいい例です。「忙しい社長に若者向けのよく分からないアプリを見せている時間はない」と、一蹴されるケースがあるのです。

社会のトレンドを100％の確度でなくともそのまま素直に社長や取締役会に上げることができ、上げたとしても批判されない企業文化を醸成することが重要です。この先、生き残るためには、あらゆる企業に必須となるでしょう。

当面の策としては、取締役会に、助言する各分野の専門家を加えることをおすすめします。同時に、すでに取り組まれている企業も多いと思いますが、改めて、情報収集を専門に行うチームを構成するのです。そしてそれぞれのメンバーが異なる領域の情報にアンテナを張ります。その上で、何がトレンドかを共有し、ボードメンバーに上げるような体制を構築します。

アドバイザリーボードのような組織でもいいでしょう。ただしここでも大切なことは、現場で得た情報をトップの耳に直接届けることです。真剣な意見交換ができる場であることが求められます。

そして繰り返しになりますが、情報がビジネスに成功をもたらす確率は1割以下で十分だと認識しなければなりません。つまり確率は低いけれど気になる情報は、とにかくピックアップして報告する姿勢が大切です。

「この情報をビジネスに活かせば間違いなく成功します！」このような形式張ったプレゼンを行うための資料作りに注力するのではなく、あらゆる分野にアンテナを張り、広く浅く、多くの情報を得て、とにかくスピーディーに上に報告する。

このような流れがチーム、組織として機能している企業が、今後の情報戦略ならびに経営において成長できると私は見ています。

情報を個人で活かす

得た情報を投資に活かしたい。このような読者もいると思いますが、基本的に株価はほとんどの公開情報を織り込んで形成されています。なので、公開情報をうまく組み合わせて深い洞察ができる人でなければ継続的に利益を出すことは難しいことを先にお伝えします。利益が出せそうなことを発信している個人や媒体は、逆に気をつけた方がいいでしょう。しかし、情報と株価がどう動くかを見ておくことはとても重要です。

まずは一般的なマーケットにおける投資であれば、1000円でも1万円でも構わないですから、とにかくスタートしてみてください。実際に投資はどんな情報に反応して、どんな情報には反応しないのかを、体験することが大事です。

その上で、ギャンブルのような感覚で接するのではなく、情報の質によって株価が大きく左右していることを、肌身で感じてほしいのです。

たとえば、世の中の動向をニュースなどで確認し、投資しようと考えている先の企業の価値がどうなるかを、まずは自分なりに予想してみます。そして実際に、世の中が動いた後に、値動きはどうだったのかを確認します。

仮説が間違っていた場合には、何がよくなかったのかを考え、並行して、証券アナリストの一次試験でもよいので、基礎知識を得て、財務やポートフォリオ理論など金融の知識を学ぶといった具合に、ステップアップしていくといいでしょう。

未上場株の投資で重視する情報

一方で、未上場株に投資をする機会がもし読者にまわってきたときは、初めての経験であるならば相当に気をつけた方がいいでしょう。なぜなら、経験をしたことがない人に回ってくる案件というのはほとんどが他のところで断られたケースだからです。その紹介をしてくれている人がよっぽど信頼できる人か、企業を運営している人が信頼できない限りは警戒した方がよいです。その上で、重要なのは創業者の事業を手がけた理由でしょう。

端的に言えば、大義のある志があるかどうかです。なぜ事業を始めたのか。なぜこの事業を手がけているのか。なぜ大企業や他人でなく自分がやるべきなのか、なぜいまのタイミングなのか。そうした情報を一番に得るようにします。これらの問いに答えるためには、自分以外の多くの優れた人と会った経験がなければなかなか答えられません。たとえばA

Iが自動で資産運用を行うロボアドバイザーサービスを提供している、ウェルスナビの柴山和久氏のような創業者がいらっしゃいます。

柴山氏は、東京大学を出た後、財務省に入省。その後、外資系コンサルティングファーム、マッキンゼー・アンド・カンパニーでキャリアを積まれました。そのままキャリアを積み重ねていけば、かなりのポジションならびに収入が約束されていたはずです。

それでも、彼の目標は個人の投資家を増やすことで日本経済を元気にしたいというものでした。このような志から、同社を設立。2020年の年末には東証マザーズに上場を果たしています。

明確な志やテーマを掲げている人は、仮に事業が失敗したとしても、それはたまたまサービスの選定が間違っていただけで、別の事業やサービスにピボットできる確率が高いと私は見ています。

志や人格というのは、実際に本人に会って話せば、分かるものです。まさに源泉といえるでしょう。情報の最上流の人に会い、自分の目で確かめた上で投資のジャッジをすることが最も大切です。

1990年代から続いた第3次ベンチャーブーム以降、数多くの起業家を見てきました。

たとえば100人が起業した中で、10年後まで事業が成長しているのは10人ぐらいです。そしてその10人はやはり、志の高い人ばかりです。中でもユーグレナの出雲充氏は分かりやすい例ですが、食糧危機という大きな社会課題に立ち向かっています。だからこそうまくいかない時期も耐えることができたのでしょう。

未上場株の投資においては、投資詐欺のようなケースが多々あります。突然紹介された投資の情報は、なんらかのバイアスがかかっていると判断すべきです。それを割り引いて投資を判断してください。

ただし、その起業家とは旧来の友人であるといった場合は別です。できる限りの範囲で協力するのもよいと思います。自分ではなく、他の信頼できる投資家を紹介するのもよいでしょう。

情報を得て人生の目標を決める

経営層や幹部クラスのビジネスパーソンだけでなく、若手ビジネスパーソンや学生に対する情報の活用についても、触れたいと思います。まず大切なのは、自分の人生の目的を決めることです。生きる目的、テーマ、とも言えると思います。

目的が決まったら、具体的にどのような方法で達成するかを決めます。弱者を救済したいとの目的であったら、弁護士になるのか、医師になるのか、それとも画期的なサービスを開発する会社を起業するのか。お金持ちになりたいとの目的であったら、会社員として出世して社長になるのか、ベンチャーを起業するのか。

目的が決まった上で、どの道が自分の得意分野であるか。さらに、その分野は仕事として捉えた際に、きちんと暮らしていけるだけの報酬を得ることができる業界であるのか。さまざまな角度から検討しなければいけません。そして、これから先も伸びる業界であるかを、自分から能動的に調べていきます。

「好きなこと」「自分の得意分野」「社会的報酬」。この3つを考えることが、キャリアアップを考える上で最低限の条件と言えます。好きであっても得意でなかったり、社会的報酬が低かったりすれば、それは趣味や副業にした方がよいかもしれません。その上で、自分が本業に選んだ領域に必要な情報や資格を、取得していきます。

得意分野かどうかの探り当ては、若い人だけではなく、中堅のビジネスパーソンにも当てはまります。得意だと思って取り組んだ分野が、さらに得意な人と交流することによって実は全体的には苦手だったことに気づく。逆に、苦手だと思っていた分野が得意だったということが、ビジネスを経験していく上で、見えてくるからです。他人とのコントラストは特に業種を超えての比較ができると明確になってくる、とも言えます。数字、資料作成、テクノロジーなどは分かりやすい指標です。

その上で、改めて自分のテーマと照らし合わせながら、業務内容を見つめ直し、ときには転職を考えることも必要です。そうして転職を決めた際にはどのようなポジションで入るのか。そのポジションでは、具体的にどのような業務に携わるのかといった情報は、実際に経験した人から直接聞くことをおすすめします。

よく見られる間違いが、先に資格を取得してしまうケースです。とりあえず資格を取得しておけば役に立つだろう、何かキャリアアップにつながりそうだから簿記の勉強を始めた、など。勉強すること自体は素晴らしいことですし、明確な目的を持った上で簿記を学んでいるのであればよいですが、重要なのは資格を取得することではなく、人生の目標を達成することです。機会損失を減らそうとするのは重要ですが、同時に、仮説もなくやみくもに自分磨きをし続けるようでは、結果的にさまよってしまうことになりかねません。

資格を取得する、改めて大学に通い直すという決断を下した際は、その内容をしっかりと精査する必要があります。

最近注目されているデータサイエンスやディープラーニング関連の仕事で考えてみましょう。専門知識を学べる大学や、関連資格も増えてきてはいますが、資格に関しては現時点では国家資格ではないことが分かります。取得したところで仕事内容ががらりと変わるようなことはないようなので、もしかすると資格は必要がないかもしれません。

それでもやはり資格があった方がその後のキャリアが有利になるのではないかという仮説を立てたなら、実際にデータサイエンティストとして働いている人に直接会い、どのような資格であれば役立つのかを聞いてみましょう。その資格は、どこでどのように取得すればいいのかも同様です。まさに情報の源に聞くべきです。

大学選びも同じことが言えます。自分の人生の目的は決まった。職業も大体目処が立った。その上で必要なスキルや資格が学べる大学を見つけた。さて、入学しよう。そうではなく、実際にその大学で学んだことがある、自分が目指している資格を持つ人に直接連絡を取り、その大学で本当に自分のやりたいことが学べるのかを聞いてみるのです。資格を取得することで、人生のテーマは達成できるのかを、確認する必要があります。ネットやパンフレットからだけの情報で判断してはいけません。これは企業選びも同様です。

たとえば、アメリカの公認会計士の資格であるUSCPA。なぜか日本では日本の公認会計士の需要から、連想で人気資格として注目されているようですが、特にアメリカでは持っていたからといって、それほど重要な資格とは見られていません。

もちろん、日本企業の場合は世間と同じように誤解しているケースがありますから、持っていれば転職で有利に働くことがあるかもしれません。けれどもアメリカの資格であればアメリカでの価値を把握しておく必要があります。

「人生のテーマ、目的が分からない」。そのような人は、まずは留学することをおすすめします。最後に紹介するデジタルデトックスに似ていますが、ふだんとは異なる環境に身を置くことで、それまで解決していなかった問題や悩みが、クリアになることは少なくないからです。

私は先輩に教えてもらった「バンテージポイント」という言葉を使います。高い視座で、自分やまわりを見渡すことのできる場所。日本語では観察することのできる場所、観点などと訳されますが、留学はまさにこのバンテージポイントです。

留学に限らず、何か分からないことがあった場合には、バンテージポイントに身を置く。そうすることで、なんらかの解が見えてくることもあると私は考えています。

メンターを6人程度作る

人生の目的やキャリアを判断する上で重要になってくるのが、メンターの存在です。先ほど、ある程度方向性が定まったら、その分野の専門家に直接話を聞くのがよい、と説明しました。その延長線上のようなイメージです。

なぜ、メンターを設けることが重要なのか。情報ネットワークを広げるのももちろんですが、ビジネスにおけるキャリアアップでイメージすると、分かりやすいです。たとえば、あなたが金融関連でなりたい仕事を見つけたとしましょう。一般的にはこの先、従来の金融業界の仕事は縮小していくとされています。しかし本当にそれは正しいのか。

金融業界で働く方をメンターに持っておけば、現場の方しか知り得ない、現在ならびに今後の状況を、知ることができます。もちろん楽観的なバイアスがかかりがちなのは考慮しなければなりません。一方で、金融業界以外の人が、金融業界をどう捉えているかといった情報も重要です。さらに言えば、インサイトは、個人によっても変わりますから、メンターは最低でも6人ほどは作っておくといいでしょう。6人ほどというのは専門性、年代を分散させ、定期的に連絡を取るのに適しています。

できれば自分の勤めている会社ではなく、社外の人、年齢も業界もさまざまな人から選出します。言ってみれば、自分という会社（人生）の行く末を判断してもらう、取締役会のような位置づけです。

その取締役会に、悩みや判断で迷った際に、定期的に相談するのです。特に、自分より年上の方は知見も多く持っている場合が多いですから、学ぶべきこともたくさんあるはずです。

メンターを持つとよいのは若者だけに限りません。熟練のビジネスパーソンであれば、若い世代の感性や昨今のトレンドを知るという観点からも、年下のメンターを持つことは価値があると思います。たとえば、グローバル展開している企業のトップであれば、各国の人とメンターとしてつながっておけば、現地のリアルな情報を得ることができます。

実際、私にも6人ほどのメンターがいます。ただ、そう簡単に見つかるものでもありません。本音を言える相手であること。相談しても、相手は嫌がらないこと。自分のことを、何となく気にかけてくれていること。このような諸条件が必要だからです。

私の経験則から具体的にいうと、知り合いになった1000人のうち1人といった割合でしょうか。ですから6人のメンターを作るには、最低でも6000人に会う必要がある計算になります。私は半年から1年に一度は定期的に相談するようにしている人がいます。

相談させてもらった後は、必ずお礼メールを送ることも重要です。その日、できれば帰りの電車やタクシーの中ですぐに送ることが、その後の良き関係を構築していく上でも重要だと私は思っています。

同じテーマを6人のメンターに相談すると、それぞれアドバイスが異なることが往々にしてあります。もちろん意見に相違があっても構いません。異なっている中でも6人全員が共通していることがあれば、そこには重要な示唆があるはずです。

異なっている意見を組み合わせることで、答えが見えてくることもあります。たとえば、転職の相談をしたとします。メンターのAさんは、「君は日本企業には向いていない、外資系企業に転職すべきだ」。一方でBさんは「お前はメーカーに向いていない」。さらにCさんは「大企業が合わない」。こうしたアドバイスを、それぞれからもらいました。

つまりメンターの言葉をまとめると、海外企業でメーカーではなく、ベンチャーがいいのではないかということになる。つまり外資ベンチャーの日本展開や、海外での仕事が向いている、という考えを浮かべることができます。6人のメンターに相談することで、情報の確度が高まっていく、絞られていく、とも言えるでしょう。

デジタルデトックスな日を設ける

いまの世の中は多くの情報が溢れています。私が本書で紹介してきた価値ある情報の得方や見極め方、価値の高め方といったノウハウを活用しても、次から次に押し寄せてくる情報に日々対峙していると、心身ともに疲弊してくることもあると思います。実際、私もそうです。

そんなときは思い切って情報を一切遮断することも大事です。いわゆる、デジタルデトックスです。私の場合は３カ月に一度ほどですが、頻度は、人それぞれ変えればいいと思います。

大切なのは、情報が入ってくるような場所やデバイスから強制的に離れることです。ですから物理的に、いつもとは違う場所に行きます。これも、人それぞれ。自分がのんびりと、ゆったりとリラックスできる場所を選びましょう。

私の場合は、日本、特に東京でビジネスをしているときは、軽井沢など、常に情報や人が飛び交う都市部とは異なり、落ち着いた空気が流れている場所に行きます。

そのような空間に身を置き、とにかく何もしない。床にごろんと寝転がり、ぼーっとするのです。ただ面白いことに、そのような状態でいると、頭の中ではこれまでインプットされ続けた情報が反芻され、整理されていく感覚があります。

具体的には、３カ月の中で得た情報が浮かんでくるだけでなく、この情報とあの情報は関連性があるな、とか。得た情報でこのような選択をしたけれど、改めて考え直すと、違う選択の方がよかったな、という考えです。

言ってみれば、価値ある情報の整理ならびに新たな気づきをすることにつながるのです。結局、リラックスできていないのでは、と言われればそうかもしれませんが、改めて思うことは、インプットばかりではなく、重要なのはどのようなアウトプットをするのかということです。

さまざまな手段を使って慎重かつ網羅的にインプットし続けた情報を整理し、自分にとって本当に必要な情報を深く思考する。そうして最終的に導き出されたアウトプットこそ、価値ある情報だと言えるでしょう。

あとがき

スマホの登場により、情報はまるで空気のように簡単に取得できるようになりました。しかし、同時に量も増え、質の悪い報道も数を増やすことになりました。私が情報の重要性を感じたのは、いまだから分かることですが、４歳のときに起きた、日本航空１２３便墜落事故でした。この事故で、私と私の家族は、父親を失いました。いまから40年近く前という時代背景もありましたが、まず情報がとても錯綜していました。

飛行機がどこに墜落したのかとの根本的な情報が、そもそも分かりませんでした。ある報道では、長野県付近を飛行していたとの目撃情報があったため、当初は長野県に落ちたとされて、捜索に当たっていたようです。

しかし実際の墜落現場は群馬県でした。そのため正確な時間は分かりませんが、何日という単位で救助活動が遅れてしまった。結果、５００名以上が亡くなり、生存者はわずか４名という、世界でも類を見ない悲惨な事故になってしまいました。

つまり、当時であっても、正しい情報を知り得る術を身につけていれば、もし、正確な墜落地点が分かっていれば、ここまで多くの犠牲者が出なかったのでは、と感じられてならないのです。

さらに、私たち家族が遺体と会えたのは、事故の発生から何日も経った後です。ここでも情報が錯綜していたようです。遺体の損傷が激しかったため、身元の特定に時間がかかっていました。こちらの情報の遅れに関しても、そういう時代だから仕方がないと言ってしまえばそれまでですが。

情報に関する違和感は、その後も続きました。事故が起きてからというもの、連日、各メディアの記者が家に連絡をしてきます。最初のころは、特に知識はありませんので、家族は受けた質問にそのまま素直に答えていました。ところが、次第におかしいことに気づいていきます。

自分や家族の発した言葉が都合のいい形で切り取られていたからです。この時点で、メディアが流している情報は事実ではなく、真実を知っているのは当事者だと感じるようになっていきました。

よくよく観察していくと、記者の多くは最初から撮りたい絵やシナリオを持っていることが分かってきます。父親を亡くし、悲しみに暮れる。あるいは航空会社に対して憤りを感じている。そのような情報です。

そして、そのようなシナリオに準じたコメントであれば、採用する。そうでない場合は、言葉尻のひとつを切り取り、他の被害者家族のコメントなどとつなぎ合わせるなどして、なんとか最初に描いたシナリオに合わせようとする。そのように思えました。

さらに、もうひとつ気になったのは、センセーショナルな見出しが多いことでした。特に、週刊誌やテレビでは、日々のニュースを見ても分かるように、多くの人はネガティブでセンセーショナルな情報を知りたがる傾向にあります。

日本航空１２３便墜落事故における価値ある情報とは、本来、各記者やメディアの色眼鏡で変わる情報ではないはずです。なぜ事故は起きたのか、起きてしまったのか。墜落場所の特定も含め、なぜ初動が遅れたのか。

情報の風化を防ぐとの観点からは必要でしょうが、本当に必要な情報は、長期的に空の安全を担保することではないでしょうか。

本文でも紹介しましたが、本に書かれている情報は著者が本来伝えたい情報の10%にも満たず、場合によっては、1%以下という場合もあるでしょう。そして、想定している読者層もあるわけです。

情報を得る際には、改めて、このような事実を頭に置いておくことが重要です。言い方を変えると、本に書かれている内容があらゆる人に役立つというわけではない、とも言えます。

一方で、1%の情報を得たことで、ビジネスや人生が大きく変わることもあります。場合によっては、命を救うことだってあるでしょう。たとえば、新型コロナウイルスのワクチン接種で悩まれていた方が、本書をきっかけにワクチン接種を行ったことで、もしかしたら罹患し亡くなっていたかもしれない命を、救うことにつながる可能性もあるからです。私はそのような人が一人でもいれば、本を書いた意味があると考えています。

このような取り組みの結果、「ビジネスがうまくいくように変わった」「新たなキャリアを描くことができた」「転職がうまくいった」「留学を決めた」など、多くの読者からうれしいメッセージが届くこともあります。

私が本を書く目的は、ふだんは最新のテクノロジーとビジネスの考え方が日本に伝わっていないという現実を知らせ、日本を世界基準に近づけたいというものですが、今回は

「データを含む情報との接し方の教育」が境遇を問わず、当たり前になってほしいという願いが背景にあります。過酷な境遇にある人が教育へのアクセスもなく、無料か価格の安い情報にしか触れることができず、その中に紛れた不誠実な情報で努力の方向を間違えてしまうような負の連鎖が起こってほしくないのです。

難解過ぎてまったく売れていない書籍に、大きな価値があることは少なくありません。売れているから、よく見る媒体の意見だから、権威ある人が言うから。このような視座やバイアスで情報に接するのではなく、自分なりの仮説、目的を持ち情報に接していくことで、情報過多が進む社会で少しでも豊かな人生を実現していただければ幸甚の至りです。

感想、ご指摘などはQRコード読み取りでのお問い合わせフォームまたはメールアドレス yamamototech2020@gmail.com へいただけましたら幸いです。（山本康正）
（https://www.gentosha.co.jp/t/yasumasa）

著者略歴

山本康正《やまもとやすまさ》

一九八一年、大阪府生まれ。
東京大学大学院で修士号取得後、
三菱東京ＵＦＪ銀行（現・三菱ＵＦＪ銀行）米州本部に就職。
その後、ハーバード大学大学院で理学修士号を取得し、グーグルに入社。
大企業の幹部に対し、テクノロジーを活用した
ビジネスモデル変革等のＤＸを支援する。
現在はベンチャー投資家として活躍。
日本企業やコーポレートベンチャーキャピタルへの助言等も行う。
また京都大学大学院総合生存学館特任准教授や、
プロ野球のパ・リーグをデジタル技術等で支援する
パシフィックリーグマーケティング株式会社にて、
テクノロジーアドバイザーなども務める。

幻冬舎新書 639

情報の選球眼
真実の収集・分析・発信

二〇二一年十一月二十五日 第一刷発行

著者 山本康正
発行人 志儀保博
編集人 小木田順子
編集者 武田勇美
発行所 株式会社 幻冬舎
〒一五一―〇〇五一 東京都渋谷区千駄ヶ谷四―九―七
電話 〇三―五四一一―六二一一(編集)
〇三―五四一一―六二二二(営業)
振替 〇〇一二〇―八―七六七六四三
ブックデザイン 鈴木成一デザイン室
印刷・製本所 中央精版印刷株式会社

GENTOSHA

検印廃止

Printed in Japan ISBN978-4-344-98641-1 C0295
や-21-1

幻冬舎ホームページアドレス https://www.gentosha.co.jp/
*この本に関するご意見・ご感想をメールでお寄せいただく場合は、comment@gentosha.co.jp まで。

藤巻健史

藤巻健史の資産運用大全

日本の財政赤字が巨額に膨らんだ今、日本売りに備えた資産運用法こそが有効。そこで本書では、基本的な金融マーケットの知識と仕組みを解説し、個人が簡単に活用できる利益のあげ方を指南。

坂口孝則

未来の稼ぎ方

ビジネス年表2019-2038

この先の20年で儲かる業界とそのピークは？〈エネルギー〉〈インフラ〉〈宇宙〉〈アフリカ〉など注目業界の未来を予測し、20年分のビジネスアイデアを網羅。時代の本質を見極める一冊。

苦瓜達郎

ずば抜けた結果の投資のプロだけが気づいていること

「すごい会社」の見つけ方

2017年までの6年連続で「最優秀ファンド賞」「優秀ファンド賞」を受賞し、過去1年間の運用実績が年44・3％というシニア・ファンドマネジャー。その投資法を余すところなく語り尽くす。

齋藤和紀

シンギュラリティ・ビジネス

AI時代に勝ち残る企業と人の条件

AIは間もなく人間の知性を超え、二〇四五年、科学技術の進化の速度が無限大になる「シンギュラリティ」が到来――既存技術が瞬時に非収益化し、人も仕事を奪われる時代のビジネスチャンスを読み解く。

幻冬舎新書

樋口裕一

すばやく鍛える読解力

文章の本質が瞬時にわかれば、ビジネスの9割はうまくいく。メールや企画書はもちろん、要点をつかみづらい官僚的な文書、癖のある新聞コラムまで、どんな文章でも速く正確に読み解くコツを解説。

齋藤孝

思考中毒になる！

考える達人になるには、寝ても覚めても常に考え続ける「思考中毒」になればいい。すると面白いほどにアイデアが湧き出てくる。そこで本書では、思考中毒になるための秘策を網羅。

野口悠紀雄

だから古典は面白い

無類の読書家であり経済学者の著者は「読書するなら古典」という。著者が推薦する本を読めば、そのめくるめく世界観に心浮き立つだけでなく、仕事で役立つ知識も身につくこと、請け合い！

樋口裕一

「頭がいい」の正体は読解力

物事を正確に読み取り理解する力＝読解力を、言葉を使い、文章を書き、例文の要点をつかむという3ステップで鍛える。飛ばし読みや資料の要約、会話やSNSでも役立つビジネス必須スキル！

幻冬舎新書

梶谷真司

考えるとはどういうことか

0歳から100歳までの哲学入門

ひとり頭の中だけでモヤモヤしていてもダメ。考えることは、人と問い語り合うことから始まる。その積み重ねが、あなたを世間の常識や不安・恐怖から解放する——生きることそのものとしての哲学入門。

半藤一利

歴史と人生

失意のときにどう身を処すか、憂きこと多き日々をどう楽しむか。答えはすべて、歴史に書きこまれている。敬愛してやまない海舟さん、漱石さん、荷風さん、安吾さんの生き方ほか、歴史探偵流・人間学のエッセンス。

丹羽宇一郎

死ぬほど読書

「どんなに忙しくても、本を読まない日はない」——伊藤忠商事前会長で、元中国大使が明かす究極の読書論。「いい本を見抜く方法」「頭に残る読書ノート活用術」等々、本の楽しさが二倍にも三倍にもなる方法を指南。

佐々木閑　大栗博司

真理の探究

仏教と宇宙物理学の対話

仏教と宇宙物理学。アプローチこそ違うが、真理を求めて両者が到達したのは、「人生に生きる意味はない」という結論だった！　当代一流の仏教学者と物理学者が縦横無尽に語り尽くす、この世界の真実。